ALBA LONGA

Masken sprechen immer mit englischem Akzent

Alba Longa, Volume 3

Alba Longa

Published by Alba Longa, 2023.

MASKEN SPRECHEN IMMER MIT ENGLISCHEM AKZENT

First edition. November 23, 2023.

ISBN: 979-8223795209

Written by Alba Longa.

MASKEN SPRECHEN IMMER MIT ENGLISCHEM AKZENT

ΑΝΑΓΚΗ

TEIL EINS

I

Zweites Jahr von Macrons Regierungszeit. Wie wir im vorigen Buch vorausgesagt haben, steht Frankreich im Zeichen von Chaos und Verwüstung. Den zwanzigsten Samstag in Folge sind die Straßen von Paris und den wichtigsten Städten des Landes Schauplatz einer gewalttätigen und unnachgiebigen Konfrontation zwischen einem Volk und einer Polizei, die sich bedingungslos den Befehlen einer Elite unterworfen hat; die durch ein antidemokratisches und korrumpierendes Verfahren eines bereits defekten politischen Systems unrechtmäßig alle Organe der Macht an sich gerissen hat und nicht bereit ist, auch nur einen Zentimeter den massiven Protesten einer ganzen Gesellschaft nachzugeben, deren Lebensstandard von den verschiedenen früheren Regierungen, in denen sie bereits dominierte, gefährlich herabgesetzt wurde, Wenn auch nicht mit der Arroganz, mit dem Leichenschauhaus, mit der absoluten und unfehlbaren Verachtung, die es jetzt an den Tag legt, völlig frei von jeglichem humanitären Gefühl gegenüber denen, die keine andere Wahl haben, als von Lohnarbeit zu leben.

Das Vertrauen der Menschen in ihre Institutionen ist irreparabel erschüttert, und es wird bestenfalls Jahrzehnte, vielleicht Generationen dauern, um es wieder aufzubauen. Die Wirklichkeit, die die Massen noch vor wenigen Monaten nicht sahen oder nicht sehen wollten, erscheint jetzt mit so scharfen und blendenden Konturen, dass sie den Augen des Betrachters verletzen, und nur mit einer übertriebenen und ungezügelten Dosis von Heuchelei und Schamlosigkeit, den Medien, auch unter dem Schiene dieser Elite, die sie finanziert und besitzt, glauben, dass sie die Auswirkungen einer so beeindruckenden und kraftvollen Offenbarung mildern können; aber damit gelingt es ihnen nur, die Kluft zu vergrößern und zu vertiefen, die die Mehrheit der Volksmassen von den offiziellen Informationsquellen trennt, von jeder Form des Diskurses, die von der etablierten Macht ausgeht, mit

Ausnahme derjenigen, die mehr oder weniger frei durch die neuen Kommunikationsinstrumente, durch das Internet und die neuesten Technologien verbreitet wird. Aus diesem Grund werden viele Journalisten gewaltsam von den Demonstrationen ausgeschlossen.

Jeden Samstag ist das Herz der französischen Großstädte, einschließlich Paris, in den Schleier des Tränengases gehüllt, der Rauch von Autos und brennenden Gebäuden; sie hallen wider von der Explosion von Sprenggranaten, LBD-Schüssen, Proklamationen, Slogans, Beleidigungen, Herausforderungen, Provokationen; es ist geschmückt mit den verschiedenen Farben der verschiedensten und gegensätzlichsten Flaggen, gekritzelten Bannern und gelben Westen, die Früher hatten dieselben Eliten das Unglück, gemäß dem Brief des Marken, einen erschöpfenden Katalog guter Absichten zu erstellen, um sie industriell auszubeuten und daraus einen lukrativen und exklusiven Handel zu machen. Heute besitzt jeder eine dieser gelben Westen*, aus Verpflichtung, - per opus,* aus der Not heraus. Und sie färben die Städte mit saurem Frühling, Zitronenfarbe oder Raps gelb.

Der Bereitschaftspolizei wurde befohlen, auf die Gesichter der Demonstranten zu zielen, mit dem offensichtlichen Ziel, Terror zu verbreiten und die Demonstrationen mit der Waffe des Schreckens und des Terrors zu beenden. Es gibt schon etwa zwanzig Einäugige, wegen dieser Gummigeschosse, mehrere Füße und Hände abgerissen, durch die Explosion von Tränengasgranaten. Und die Polizeikommandanten werden vor der Geschichte die unermessliche Verantwortung tragen, solchen Befehlen einer winzigen herrschenden Minderheit gehorcht zu haben, die, um ihre Privilegien zu retten, nicht zögert, die Nation vor der Welt zu entehren, die Bürger zu verstümmeln, zu schlagen und zu demütigen, die sie zu schützen und zu regieren verpflichtet ist. Zahllose schockierende Zeugenaussagen zeigen, wie Polizisten ihre Waffen unnötigerweise nach oben richten, auf die Gesichter derer, die dort sind, auf der Straße, die allen gehört, um das Brot und die Zukunft ihrer Kinder zu verteidigen.

Hinter der Bereitschaftspolizei sind die Horden der BAC konzentriert, bereit für den Überraschungsangriff, den Blitzangriff, der mit Schlagstöcken, mit Händen zuschlägt, die mit ihren gepanzerten Körpern durch alle Arten von Schutzvorrichtungen stoßen und umkippen, die ein Opfer, ob Mann, Frau oder Teenager, auswählt, um es auf irgendeine Weise zu Boden zu werfen, Indem sie sie schubsen, zerren, an den Haaren packen, wenn sie eine Frau ist und einen besseren Halt bietet, dann immobilisieren sie sie auf dem Boden, decken sie zu, verstecken sie vor den Blicken und Zielen der Neugierigen, schlagen ihren Kopf auf das Pflaster, halten sie mit dem Knie fest, mit dem ganzen Gewicht ihres Körpers. Schließlich umzingeln sie die Kerne der Demonstranten, umzingeln sie und werfen Tränengaskanister in ihre Mitte.

Aber heute kann eine Diktatur nicht lange bestehen, auch wenn sie das feierliche Gewand einer Pseudodemokratie annimmt, ein grober Ersatz für die Demokratie, selbst wenn sie mit einem gewaltigen und allmächtigen Propagandaapparat ausgestattet ist, denn es gibt das Internet und die Mobiltelefone, die die Szenen, die sie einfangen, filmen und an Ort und Stelle in die Stadt und in die Welt senden.

Die Oligarchie, die an das Ende der Geschichte geglaubt hatte, weshalb sie nach und nach einen Teil der Maske, des frommen und gelegentlichen Schleiers, der ihre moralische Hässlichkeit verbarg, fallen gelassen hat, ist jetzt in ihrem Herzen, in ihrem Mark, in dem ganzen Tempel bedroht, in dem der Gott der Lüge, der Propaganda, des leeren Mythos und des Egoismus verehrt wird. damit sie sich angesichts der Notlage nicht scheut, den Rest der Maske fallen zu lassen und offen und freimütig Gewalt anzuwenden, solange sie die Kontrolle über die Gewalt behält.

Aber die Schuld an all dieser Verachtung, an all dieser Unordnung der Superlative kann nicht einem Mann zugeschrieben werden. Obwohl dieser Mann, Macron, mit ungeheurer Effizienz dazu beigetragen hat, durch absolut wahnhafte diskursive Formeln, die in ihrer Verantwortungslosigkeit furchterregend sind, durch eine grundlos provokative Haltung, deren übertriebene Arroganz man laut einer britischen Zeitung nur mit seiner Unfähigkeit vergleichen kann, eine ganze Gesellschaft in Flammen nicht mit Öl ins Feuer, sondern mit Benzin und Kerosin zu gießen, auf eine Nation, die von allen vier Seiten brennt, auf ein Volk, das aus einem höchst entzündlichen Grund entflammt ist, gerade wegen des hohen Grades an Wahrheit und Gerechtigkeit in seinen Forderungen.

Nein, es genügt nicht, dass ein einzelner Mensch eine solche Dimension im Chaos, in der allgemeinen Verzweiflung, in der Konfrontation aller Körper und Ebenen der Gesellschaft und sogar ihrer Institutionen erzeugt. Er musste auch, wie ein großer lateinamerikanischer Schriftsteller sagen würde, *von einer cafila de mampolones* (einer Art Herde von Inkompetenten) umgeben sein, der spektakulärsten, die man sich vorstellen kann. Noch nie im Leben der Welt hat man einen solchen Haufen von Inkompetenten gesehen, die alle verantwortungsvollen Positionen einer der großen Nationen des Planeten vollständig monopolisiert haben. Wegen des Fehlens einer echten politischen Partei mit Tradition in dieser Regierung wurde die absolute Gesamtheit der höchsten Ämter des Staates, einschließlich der Ministerien, an Schulkinder vergeben, die bei den letzten Präsidentschaftswahlen an die Türen der Häuser klopften, um Wahlpropaganda für ihren Kandidaten zu machen. Von diesem Kandidaten, der sich weigerte, an den Vorwahlen einer Partei teilzunehmen, in der er nie aktiv gewesen war und an die er nie geglaubt hatte, die ihm aber nützlich war, um zu gedeihen und sich an die Macht zu klammern. Dieser ganze Zug von unerfahrenen Leuten, politischen Anfängern, Kindern, die von einer Wiege der Privilegierten verwöhnt wurden, fand sich über Nacht, ohne selbst daran zu glauben, als Minister mit diesem oder jenem Ressort wieder, als Untersekretäre dieses oder jenes Ministeriums, als Berater eines Kabinetts für das Leben nach dem Tod. Und gemeinsam schufen sie innerhalb weniger

Monate die größte Krise, die nach dem Zweiten Weltkrieg in der westlichen Welt ausbrach.

Schlimmer noch, sie stehen an vorderster Front, wenn es darum geht, das zu lösen, was ein Mann vom Handwerk eines De Gaulle oder eines Mitterrand vielleicht nicht ausgereicht hätte.

Wenn das hier vorbei ist, wie kann man dann nicht Verantwortung verlangen, nicht gegenüber dieser Herde von Schulkindern, sondern gegenüber den höchsten Ebenen der Finanzwelt und der Medien, die dies mit Millionengewalt und Propaganda möglich gemacht haben?

Gleichzeitig hat der Gegenwind in der Europäischen Union noch nie so heftig gewehrt, und die für den 26. Mai angesetzten Wahlen drohen einen beispiellosen Sturm zu entfesseln. Die Briten konnten das Land noch nicht verlassen. Sie befinden sich mit einem Bein drin und einem Fuß draußen, in einer unbequemen Übergangssituation, die Frustration erzeugt, deren Kontur, über die der Inseln hinausgeht und sich bis zum Festland erstreckt. Das Schlimmste wäre jedoch, wenn sie es schaffen würden, zu gehen und absolut nichts passieren würde. Der eigentliche Stich, die wirkliche Katastrophe des Zerfalls, wäre jedoch die Tatsache, dass nicht nur nichts geschieht, sondern im Gegenteil sehr gut läuft. Und reden wir nicht darüber, ob sie es schaffen, es besser zu machen als zuvor und besser als wir.

Die osteuropäischen Länder tolerieren keine unkontrollierte Einwanderung mehr. Die Mittelschichten des Südens sind es leid, Steuern zu zahlen, die Vorteile nicht zu sehen und vor aller Augen ärmer zu werden. Nur Deutschland, die Niederlande, Dänemark und Länder, die zu Steueroasen geworden sind, schneiden gut ab. Aber ein Mann ist eine Stimme, und die Melodien, Litaneien und andere Lieder der politischen Korrektheit sind nicht mehr so effektiv wie vor der Revolution von 2018.

Die Lage ist ernst.

II

Ein halbes Jahr war es her, dass Clara Bardés das perlmuttfarbene Nizza gegen das prächtige, prachtvolle, geheimnisvolle, aber auch allgemein graue und melancholische Paris eingetauscht hatte. Der französische Staat hatte ihr ein Angebot gemacht, das sie nicht ablehnen konnte, nicht nur wegen ihres finanziellen Aspekts, sondern auch wegen ihres Prestiges und der damit verbundenen Verantwortung, da es nichts anderes war, als sich an der Restaurierung der Gemäldesammlung in der Kathedrale Notre-Dame zu beteiligen.

Das Schreiben, in dem der Vorschlag übermittelt wurde, war Anfang Dezember letzten Jahres eingetroffen und hatte per Post seine Annahme übermittelt. Fast mehr als der berufliche Aspekt das Persönliche. Der Tod seines Großvaters, des Malers Jacobo Bardés, war noch sehr frisch und die Wunde, die er seiner einzigen Enkelin hinterlassen hatte, war noch zart und ohne Aussicht auf Genesung. Ein weiteres Weihnachten in dem Haus der Familie zu verbringen, in dem die beiden, seit sie sich erinnern konnte, allein dort gelebt hatten, war für sie keine verlockende Aussicht. Zu Bardés' Nostalgie gesellte sich das beängstigende Erlebnis mit Ergaster, an das das dunkle Herrenhaus gegenüber erinnerte. Es hätte etwas mehr Zeit und vielleicht Reife gebraucht, um in Ruhe im Haus leben zu können.

Darüber hinaus war Sophie perfekt qualifiziert, die Kunstgalerie in seiner Abwesenheit zu leiten. Auf jeden Fall, wenn es jemals ein Problem gab, das sein direktes Eingreifen erforderte, fliegt alle fünfzehn Minuten ein Flug von Paris nach Nizza.

Clara kam in die Werkstatt der Kathedrale, die den Nachnamen Bardés trug. Der Leiter der Werke, ein junger und brillanter irischer Priester mit dem überraschenden Namen John Temple Graves, der vorsichtig war, wies ihr jedoch in den ersten Tagen niedere Aufgaben zu, obwohl er bald erkannte, mit welch tadelloser und außerordentlicher technischer Meisterschaft Clara die ihr anvertrauten

Aufgaben ausführte. Opas Unterricht war nicht auf taube Ohren gestoßen. Weniger als einen Monat, nachdem er das Atelier betreten hatte, hatte er sie bereits mit der heikelsten Phase der Restaurierung eines der *"mais"* - "Das Martyrium des Heiligen Andreas" von Charles Le Brun aus dem Jahr 1647 - betraut. Und jetzt arbeitet sie an dem wertvollsten Werk, das die Kathedrale hat, wahrscheinlich wegen ihres Alters. Es handelt sich um ein anonymes Wandgemälde in der axialen Kapelle des Ambulatoriums aus der Zeit um 1300 mit dem Titel "Jungfrau mit Kind zwischen dem Heiligen Nicasius und Simon Matifas de Bucy".

In gewisser Weise ist das Überschreiten der Schwelle einer Kathedrale wie das Betreten eines Zwischenraums zwischen zwei Welten. In der Tat scheint jede Kirche diese Funktion im christlichen Bereich zu erfüllen. Es wäre ein Standesamt für Seelen, die in dieses dunkle Tal der Tränen eintreten und Seelen verlassen. Eine erhabene Kathedrale unterstreicht diesen Akt jedoch in hohem Maße. Die imposanten Säulen, die hohen Gewölbe, hinterlassen einen noch mächtigeren und unauslöschliche Ren Eindruck im Geist, da sie diese beeindruckende heilige Fabrik umschreiben, deren Aufgabe mit einem Sinn aufgeladen ist, der nicht physisch, sondern metaphysisch ist. Deshalb fühlte sich Clara zunächst wie ein Reliquiar an, das ein einziges Juwel, eine einzige Idee, den Tod von Bardés, enthielt und es mit seinen Wänden umschloss und zusammendrückte, immer im Bewusstsein seiner schmerzlichen Existenz.

Einige Wochen, nachdem sie dort gelebt hatte, hatte sie jedoch bemerkt, dass eine Transsubstantiation auf ihrer Art und Weise, eine solche besondere Umgebung zu empfinden, durchgeführt wurde. Durch das Baden seines Wesens in dieser Atmosphäre, die so von Transzendenz durchdrungen ist, dass sie, in geheimen Korridoren zirkulierend, zwischen zwei verschiedenen Ausdehnungen des Geistes Murmeln und Düfte der Ewigkeit ausströmt. Auf diese Weise hatte sie den Eindruck, dass Bardés etwas weniger tot war, dass er ihr näher war. Und es würde sie nicht allzu sehr gewundert haben, wenn man in einer jener kurzen Pausen, die gewöhnlich vereinbart werden, um die verschiedenen Stadien seines Schaffens zu bezeichnen, und in denen man den Blick lässig über die Menge schweifen läßt, die wie betäubt durch diesen mineralischen und verwunschenen Wald schreitet, seine Augen wieder der vertrauten Gestalt von Bardés begegnet wären, der mit einem Lächeln den Fortgang seines Werkes betrachtet.

Aber eines Tages begegnete sein Blick einer Gestalt, die ihm nicht bekannt war, sondern im Gegenteil die unregelmäßigste menschliche Gestalt und zugleich die beeindruckendste, die diese so kostbaren Organe noch nie gesehen hatte, seit sie in seinem Dienst standen. Er war ein imposanter, riesiger alter Mann, dessen Messgerät sogar von der Spitze des Gerüsts, in dem sie sich befand, einschlug. Er trug die traditionelle schwarze Kutte bis zu den Fersen des konservativen Klerus, auf der fast ein Haar glänzte, das ein wenig dünn und zitternd, aber von unglaublicher Weißheit war. Was jedoch am meisten an ihm auffiel, war die unregelmäßige Geometrie seines beeindruckenden Gesichts. In der Tat wiesen seine Ziliarbögen ein so deutliches Mißverhältnis auf, daß sie die Harmonie des Ganzen völlig zerstörten, es entmenschlichten und ihm das unbestimmte Aussehen eines monströsen und gigantischen Batrachianers gaben. In diesem Augenblick hatte Clara sogar angefangen, ihn in ihrem Herzen Monsignore Batrachian zu nennen. Doch seine Augäpfel, langsam und voluminös wie zwei Vollmonde, spiegelten übermenschliche Intelligenz wider. Dies war der erste und unvergessliche Eindruck, den Mauricio de Sully, Erzpriester und Rektor der Kathedrale, auf Clara machte.

Bei dieser Gelegenheit wurde er von John Temple Graves begleitet, um sich für die Restaurierung des kostbaren Kunstwerks zu interessieren, das Claras erfahrenen Händen anvertraut wurde. Dieser gab der jungen Frau diskret ein Zeichen, hinunterzugehen, um die voluminöse Kröte und den Erzpriester zu begrüßen.

Im Gegensatz zu jedem Willkommen, das Klara von einem Prälaten hätte erwarten können, reichte ihr der Erzpriester die Hand, eine ungeheure fleischige Hand, und als wäre sie nichts anderes als ein einfacher Kaufmann von großer Größe, wie es wahr ist, besiegelte er mit dieser Gebärde ein vielversprechendes Geschäft, unter einem Rabelais'schen Gelächter, und donnerte:

- Wenn Gott etwas will, gibt Er Seinem Willen einen besonderen und unmissverständlichen Stempel! Sehen Sie, Herr Temple, mit dem Blute von Bardés werden wir auch nur die kleinste Spur von Viollet-le-Duc aus dieser Kapelle tilgen, so daß nur noch Jean Pucelle übrig bleibt! Und das ist erst der Anfang! Mit der Zeit werde ich aus der ganzen Kathedrale jede Spur von Viollet-le-Duc und seinem schrecklichen Jugendstil entfernen!

Klara schauderte, weil sie wußte, welch ungeheure Menge von Viollet-le-Duc in dieser Kathedrale geblieben war.

III

In jeder Stadt der Welt, London, Paris, New York, Amsterdam, sind die Form und das Layout des Raumes identisch. Die unterscheidbaren Mauerbögen ließen den Schluss zu, dass sie einen kreisförmigen Umfang beschrieben, der zwar groß genug war, dass seine Grenzen verloren gingen, aber in Dunkelheit getaucht war. Geschützt, in dem sich eine Ratte sowie hundert Drachen verstecken konnten. In der Mitte spannte sich ein korpulenter und solider Tisch, ebenfalls rund, aus edlem Holz, vorzüglich und mit dem besten Lack überzogen. Auf seinem Tablett standen hier und da mehrere Kerzenständer, und das Licht, das sie ausstrahlten, war die einzige Beleuchtung, die im Gehege funktionierte. Um sie herum saßen zwölf stumme Sphinxe. Einige trugen Masken, andere nicht. Die Masken waren im venezianischen Stil, mit massivem Gold und Diamanten eingelegt. Diejenigen, die sie benutzten, erschienen alle in einen dicken schwarzen Mantel gehüllt, der auf Halshöhe mit einer goldenen Brosche zusammengebunden war. Die anderen trugen Anzüge der Etikette, aber jeder in seinem ganz persönlichen Stil und alle zeigten bekannte Gesichter, deren Namen Bemoz aber nicht verraten konnte, wenn er seinen Kopf noch auf den Schultern behalten wollte.

Derjenige, der den Tisch leitete, war eben ein maskierter Mann, der auf der gegenüberliegenden Seite des Stuhles saß, der Bemoz zugeschrieben worden war. Dieser Junge greift während der Sitzung nur selten ein. Und wenn er es tat, benutzte er oft emphatische Gesten, die er mit dem Kopf oder den Händen schlug. Nur in Ausnahmefällen hatte man das Privileg, seine Stimme zu hören, ein flötendes Quietschen, eines wilden Soprans, ohne Bildung, eines angehenden Kastraten, noch roh und ohne die geringste Ahnung von Musiktheorie. Alle Teilnehmer waren jedoch ständig auf der Suche nach seiner kleinsten Reaktion.

Bemoz setzte sich in den eigens für ihn angefertigten Sessel, damit er seinen riesigen Körper aufnehmen und stützen konnte.

Einige Minuten lang herrschte Stille. Bemoz wußte, daß niemand es wagen würde, sie zu zerbrechen, bis der *Kastraten* mit dem Zeigefinger auf das imaginäre Gewölbe zeigte, das sie bedeckte, aber daß es nichts anderes war als ein unbestimmtes Fegefeuer der Finsternis, in dem die Worte klangen, als wären sie in der Kulisse einer verlassenen Kathedrale gesprochen worden.

Schließlich hatte seine bemehlte und stilisierte Hand seine Zustimmung gestempelt, was das Treffen beginnen ließ.

Ein Kerl, dessen Gestalt an einen Bleistift erinnerte, in dem oben an der Stelle, wo die Schnitte gemacht werden, um die Mine zu entdecken, ein paar tiefe Züge das faltige Gesicht einer Jahrmarktspuppe formten, eine jener Papppuppen, die in sauren Farben bemalt sind und mit denen Bauchredner diese Art von Binsenweisheiten aussprechen, die die Ziegen zum Lachen bringen, die am Sonntagnachmittag in die staubigen Straßen gehen, um mit ihrem üppigen Nachwuchs spazieren zu gehen, Rose.

Die Menge, zerzaust und stinkend, ging schließlich auf die Straße, um sie mit Schreien und Dreck zu füllen. Bis dahin hatten sie alle Lügen geschluckt, und seien sie noch so offenkundig, wie hungrige Hunde, denen man ein paar halb verweste Speckstücke auf den Boden wirft. Sie hatten so viele Propagandaoperationen verdaut, wie man wollte, ganz gleich, wie grob ihre Rechnung auch sein mochte; So hatten sie ohne mit der Wimper zu zucken akzeptiert, daß alles rückwärts gesagt werden sollte, daß der Revolutionär konservativ genannt werden sollte und umgekehrt, daß ihnen der Bösewicht als Held vorgestellt werden sollte und daß im Gegenteil der Feigling für einen Mutigen und der ehrliche Mann für einen Verderbten gelten sollte, indem sie die verdorbensten Kerle immer mit einem bescheidenen Schleier bedeckten und sie anzogen. als Belohnung an der Spitze der angesehensten Institutionen, damit sie sie nach Belieben manipulieren können, gerade dank ihrer immanenten Verderbtheit; daß das, was für ihr Übel ist, sie durch eine einfache Operation von Taschenspielertricks als sozialen Fortschritt interpretieren und deshalb sogar in Kauf genommen hätten, daß man sie im Namen eines unerschöpflichen Arsenals angeblich gerechter, philanthropischer Zwecke berauben sollte, oder die, wenn auch dem Anschein nach, zu sein schienen, mit denen wir saftige Vorteile monopolisieren oder den Staatsapparat betreiben, ohne ihn mit unseren eigenen schmieren zu müssen Steuern. Wir sind jedoch an einem Punkt angelangt, an dem die Eingeweide der Menschen vor Hunger zu brüllen beginnen, und das ändert alles. Sie gingen auf die Straße. Und sie wollen nicht nach Hause gehen, selbst wenn sie mit Schlagstöcken empfangen, bedroht, erblindet, verkrüppelt zurückgelassen werden, ihre Nasenscheidewand auf dem Kopfsteinpflaster des Bodens bricht. Zum ersten Mal seit siebzig Jahren sind die Franzosen hungrig. Sie haben Hunger und Angst in ihren Eingeweiden. Aber war nicht alles geplant? Nun, wenn alles geplant war, überlassen wir die Panik dem Vulgären. Unser Vermächtnis ist das Handeln. Und unser Handeln, unser Erbe. Wir müssen uns nur nicht beirren lassen und unseren Plan wie geplant fortsetzen. Vor allem jetzt, da praktisch alle unsere Entwürfe realisiert wurden. Die Losungen der Revolution hat man im zivilisierten Europa seit Jahrhunderten nicht mehr gehört, und in diesen Tagen haben wir Menschenmassen in den Straßen von Paris, Paris, marschieren sehen! zum Schrei der Revolution! Revolution! Und das hat natürlich einige nervös gemacht. Aber seit wann haben die Massen ein Ziel erreicht, wenn sie nicht von denen geführt werden, die Intelligenz, Kraft und Geld besitzen?

Bemoz hatte beobachtet, dass, wenn jemand eine Rede beendet hatte, keiner der Anwesenden sich beeilte, ihm die Antwort zu geben. Ein mehrminütiges Schweigen war erforderlich. Vermutlich, damit die Teilnehmer die Ziele, die der Versammlung vorgestellt wurden, gut aufnehmen und in ihren Köpfen reifen lassen. Bemoz hatte jedoch den Eindruck, dass die maskierten Männer sonst nie sprechen würden, weil sie nie um ein Wort baten, nicht einmal mit einer Geste. Wenn einer von ihnen interveniert, tut er dies nach reiflicher Überlegung und erweckt den Eindruck, dass seine Argumente und nicht die eines anderen diejenigen waren, die natürlich die Umstände des Augenblicks erforderten. Sichtbare Gesichter wurden manchmal ungeduldig. Aus dem Maskierten sank eine Unerschütterlichkeit wie die einer Sphinx.

Der Einsatz unbegrenzter Macht über viele Generationen hinweg hat den Subjekten einen regelrechten Abdruck hinterlassen.

Also eine der maskierten Speichen ohne Eile.

Die Pläne waren gut, nicht die Leute, die sie ausführen sollten. Irgendjemand wird für diesen Fehler einen sehr hohen Preis zahlen müssen.

Es gab einen Hauch von angelsächsischem Akzent in seiner Rede. Die Masken sprechen immer mit englischem Akzent.

Der Bleistift fuchtelte auf seinem Stuhl.

Noch ein Schweigen, bis sich ein zweiter maskierter Mann herablässt, einzugreifen.

-Jetzt ist es zu spät für Änderungen an der Kupplung. Wenn es nur ein Artikel wäre, gäbe es kein Problem. Bemoz kennt die Vorgehensweise... Das Heimtückische ist, dass es zu viele abgehackte Backenzähne und unpassende und verrückte Kurbeln gibt. Und auf der anderen Seite fehlt die Zeit. Die Situation ist zu reif. Die Früchte müssen jetzt gepflückt werden, sonst verrotten sie am Baum.

Der erste Redner, der mit der Figur eines Bleistifts, spielte mit einer voluminösen goldenen Feder, und plötzlich warf er sie auf den Tisch, was ein unheimliches Geräusch verursachte.

Der Maskierte, Unabänderliche, schloß seine Argumentation:

Mit diesen Ochsen müssen wir pflügen.

»Genau«, erwiderte der scharfsinnige Mann, ohne die verabredete Pause zu beachten. "Es ist vorzuziehen, die geplanten Schritte unverändert anzuwenden, da, wie gesagt, die folgenden Auswirkungen zumindest wahrscheinlich sind.

Der Bleistift wartete vergeblich auf eine Antwort. Also entschied er sich, weiterzumachen.

Dies ist das zweite Manöver, das darauf abzielt, wie in der Vergangenheit die Föderation des gesamten gesellschaftlichen Körpers um eine gemeinsame Sache herum zu erreichen, die sie alle wie einen Tannenzapfen zusammenhält und sie zumindest bis zu den Wahlen im nächsten Monat den Hunger und die Tritte in den Hintern vergessen lässt. Nach den Wahlen wird unsere Politik wieder durch die *vox populi legitimiert werden,* oder wie auch immer man sie nennen und verstehen will. Die Wahrheit ist, dass sie es im Moment glauben. Wir kennen bereits den *Modus Operandi,* um die gewünschten Ergebnisse zu erzielen. An anderen Orten geraten die Dinge manchmal, sehr selten, außer Kontrolle, aber hier in Frankreich ist die Formel narrensicher; zumal es sich nur um eine Europawahl handelt, bei der es nicht notwendig ist, zu gewinnen, braucht es nur einen ehrenwerten zweiten Platz, um vollständig gewaschen und legitimiert zu werden, vor allem, wenn der erste Platz für die extreme Rechte sein wird, die Händler der Kinder der Postmoderne.

Der Bleistift fürchtete auch, dass er einen großen Fehler gemacht hatte, als er die Kinderhändler erwähnte.

Die Maskierten schwiegen nicht nur, sondern schienen auch von einer Art unsichtbarem Gerüst gehalten zu werden, so dass sie regungslos verharrten. Bemoz bezweifelte oft, dass sie alle ein menschliches Gesicht verbargen, da einige der Rechteinhaber vielleicht nur als Bildnis anwesend waren.

Derjenige, an dem er nicht den geringsten Zweifel hegte, war ihm am nächsten, zu seiner Linken, denn in den Pausen hörte er ihn schwer atmen. Gerade er hatte gerade gesprochen.

-Das erste Manöver sollte diesen Effekt bereits erzielt haben. Aber wie Sie sehen können, ist dies nicht der Fall. Dieser Samstag war wie jeder andere: eine endlose Abfolge von urbanen Guerilla-Szenen quer durch die französische Geografie.

"Diesmal", antwortete der Bleistift, "wird es anders kommen. Kein einziger Mensch wird getötet. Ein Teil der Geschichte wird jedoch getötet werden. Ganz Frankreich wird sprachlos bleiben und sein Zeugnis zerstört und zusammengebrochen vorfinden. Die Experten bewerteten selbst die kleinsten Effekte und Bemoz arrangierte jedes Detail der Aktion. Ist das nicht Bemoz?

Die Masken wandten sich ihm mit einer mechanischen Bewegung zu, ebenso wie das Stechen ihrer Augen. Bemoz atmete tief durch. Wenn die anderen stark waren, war er es auch. Und er fürchtete den Tod nicht.

"Das ist richtig, Meister. Alles ist arrangiert. Seit einigen Wochen sind die Figuren platziert und der Verrückte ist in den feindlichen Reihen, bereit, den König zu besiegen. Diesmal werde ich ein neues Spielzeug verwenden. Ich fand ihn ziemlich verkrüppelt. Die Reparatur war schwierig und kostspielig. Aber es wird sich lohnen. Nun, hören heißt gehorchen.

Die Automaten wandten sich langsam dem Vorsitzenden der Versammlung zu. Und dieser deutete mit einer nachdrücklichen Gebärde mit dem Zeigefinger auf den Maskierten, der zuerst gesprochen hatte, der sich wieder an den Koloss wandte und schied:

-Handeln.

Bemoz stand auf und verließ den Raum.

IV

Alba Longa unterbrach die Lektüre unerwartet, ohne sich klar zu sein, warum er es getan hatte, und stand einen Augenblick da und blickte aus dem Fenster in den indigoblauen Himmel. Vielleicht hatte er ein Gerücht von draußen gehört. Aber es dauerte nicht lange, bis er es verstand. Jeden Samstag ist es die gleiche Geschichte. Menschliche Fluten von Raps ziehen durch die Straßen aller Städte Frankreichs. Das Innenministerium spielte die Zahl der Demonstranten schamlos herunter, lügte institutionell und gab makabre Befehle an die Polizei. Die Szenen sind verstörend, atemberaubend. Und wir befinden uns im Herzen Europas. Eine Regierung, die schamlos lügt, ohne Rücksicht auf den Mangel an Logik und die Inkongruenz der Daten, die sie enthüllt, und ein Volk, das einen regelrechten Aufstand führt. In Europa. Was ist passiert? Wie konnten sich die Dinge so sehr ändern?

Es ist wahrscheinlich, dass ein festes Gehalt eines Universitätsprofessors zu einer gewissen Distanz zur Realität führt. Arbeit, der Futterspender voller Johannisbrot, ist gut für Magen und Darm, lässt aber das Gehirn leer. Du musst es natürlich tun, deinen verdammten Job; Aber es ist auch notwendig, zu wissen und in der Lage zu sein, Hindernisse zu errichten, um um jeden Preis zu verhindern, dass die Funktion zur Person wird. Die Fakultät, das muss man zugeben, hat den Vorteil regelmäßiger Ferien, wie die, die gerade im April eröffnet wird.

Trotzdem sind viele von ihnen zu Maschinen geworden, zu echten mechanischen Puppen mit Masken. Sie stellten das innere Zahnrad der Uhr selbst ein und ließen es arbeiten, indem sie die Stunden ihrer Zeit gaben. Aber das ist der Zweck einer Uhr. Der Mensch hingegen sollte andere Parameter und andere Funktionen integrieren. Die Zeit des Menschen ist nicht mechanisch, es gibt Stunden, die länger vergehen als Jahre und Jahre, die entweichen wie Wasser in den Händen. Regeln sind Regeln, Algebra, Geometrie, eine mathematisch entmenschlichte

Ungerechtigkeit. So hören die Menschen auf, Menschen zu sein. Sie werden zu Zahlen. Und die Folge davon sind Revolutionen. Nun, niemand möchte eine Nummer sein, ein Daten, der kein anderes Recht hat, als einen Dreh- und Angelpunkt einzuschalten, und der keine Hoffnung hat, ersetzt zu werden, wenn er kaputt geht oder überstrapaziert und nutzlos wird. Und das Lustige ist, dass es nicht um seiner selbst willen ausgetauscht wird, sondern weil der Mechanismus weiter funktionieren muss. Wenn sich nun ein Ritzel dreht, nicht aus irgendeinem Grund, sondern aus der einfachen Tatsache, dass ein anderes Rad es dazu gebracht hat, sich zu drehen, dann ist dieses Teil mitschuldig, wenn der Mechanismus zum Beispiel dazu bestimmt ist, eine Sprengladung mitten in einer Menschenmenge zu zünden. Was ich meine, ist, wenn wir unsere ganze Zeit damit verbringen, zu arbeiten, nach Hause zu fahren, meist im Stau zu stehen, sonntags Fußballspiele zu schauen und in unserer Freizeit private Nachrichtensender zu hören, aber ohne nachzudenken und ohne zu lesen und ohne entschlossen in die Tiefen unseres Wesens einzutauchen, um wirklich zu sehen, was darin ist, dann machen wir uns mitschuldig am Schlimmsten. Der Schlimmste ist natürlich immer der, der es unternimmt, mitten in der Menge eine Sprengladung zu zünden.

Alba Longa hatte sein Handy mitgenommen, um auf Twitter zu sehen, was los war. Die Bilder zeigten tatsächlich Straßen, in denen kein Platz mehr für eine Stecknadel war. Das Innenministerium wird demnächst bekannt geben, dass drei Personen in Paris, zwei in Bordeaux und eine in Lyon demonstriert haben. Danach werden alle Nachrichtensender Frankreichs und Navarras Schilder am unteren Bildschirmrand anbringen, auf denen steht: "Demonstration nieder" oder - gibt es die Gelbwesten noch? »

Mehr als zwanzig aufeinanderfolgende Samstage demonstrierten sie in Frankreich und bezahlten immer wieder seine Reisen, Menschen, deren Gehalt es ihnen nicht erlaubt, über die Runden zu kommen;

tatsächlich gibt es in diesem Land sechzehn Millionen Haushalte, die am fünfzehnten Tag eines jeden Monats rote Zahlen schreiben. Nur wegen dieser schamlosen Mischung aus Verachtung und Arroganz sollten Macron und Castañer und die gesamte Regierung, einschließlich Blanquer, zurücktreten. Und verliere den Job und das Gehalt, all die Marionetten, die das *bis zum Überdruss im* Fernsehen wiederholen, den ganzen verdammten Tag und den Gott, der es gegründet hat. Goebbels' goldener Traum.

Er verließ Spanien, aber es hieß, die Bratpfanne loszulassen und in die Glut zu fallen. Natürlich wollte Spanien, das euphemistisch als "sozialistisch" bezeichnet wird, in der Art von Felipe González gekocht, ihn zum Paketzusteller machen, was nicht schlecht ist, aber nach dem Stand der Dinge nicht gut für das intellektuelle Leben gewesen wäre, das er wollte. Frankreich gab ihm unterdessen einen Lehrauftrag an der Universität. Nun ist Frankreich ein ärgerliches Land, da eine chronische Krankheit den Patienten wütend macht. Auf der anderen Seite können Felipe González und Emmanuel Macron in der Kloake der Geschichte Hand in Hand gehen. Gutes Paar zu zweit für eine blinde Mutter. Ohne ihre Existenz hätte die Welt viel gewonnen. Aber sie wären durch andere Marionetten ersetzt worden, die weder besser noch schlechter waren als sie. Felipe González hat sich zumindest während der Plenarsitzungen des Kongresses halbwegs gut ausgedrückt. So verbreitete sich die große Lüge, so gut sie konnte, und sie war gut für ihre Herren, solange sie währte. Aber er war nicht einmal in der Lage, still zu sitzen, ohne sich auf den Boden zu werfen, als eine Gruppe von Guardia Civil begann, mit Gewehren auf die Decke des Abgeordnetenhauses zu schießen.

Plötzlich schaltete sich sein Handy ein und er fing an zu blinken. Auf der Leinwand war der Name einer Frau zu sehen: Laure. Tatsächlich war es der Name eines Kollegen. Und Kollegen haben kein Geschlecht.

-Ja. Sag mir.

-Ich gehe an dir vorbei. Und da ich weiß, dass du mit der Benotung deiner Prüfungen fertig bist, dachte ich, du könntest irgendwo etwas trinken wollen.

Es war unerhört. Ich beziehe mich auf die Tatsache, dass ein Professor der juristischen Fakultät, bürgerlich durch und durch, verheiratet ist - *wie es sich gehört* "mit einem anderen bemerkenswerten Vertreter der Fakultät und zur Crème de la Crème der guten Gesellschaft dieser antiken griechischen Kolonie im westlichen Mittelmeer gehört, an einem Samstagnachmittag auf einen Drink - irgendwo". Und inmitten der Revolution der Gelbwesten.

-Brunnen... Ja natürlich. Aber ich bin nicht vorzeigbar. Ich sollte wenigstens kurz duschen. Wenn du nicht wie ein Italiener durch die Straßen von Nizza fährst, habe ich vielleicht Zeit, bevor du ankommst.

-Eigentlich bin ich schon vor deinem Portal...

- Ah, dann bleibt dir nichts anderes übrig, als nach oben zu gehen! Es sei denn, du hast Angst, die Höhle des Wolfes zu betreten.

-Ich bin bereit, das Risiko einzugehen.

- In diesem Fall gehst du zum Portal und ich öffne es.

-Alles klar.

Sie war nicht mit einer besonders ordentlichen Toilette gekommen. Sie trug nicht einmal Make-up. Aber Alba zog es vor, weil er in ihr eine stumpfe, wilde, natürlich gebräunte Schönheit entdeckt hatte, die für jedes Ufer dieses geschlossenen und einzigartigen Meeres charakteristisch ist. In Wahrheit schien es so, als sei es kurzfristig beschlossen worden, dass sie wirklich an ihrer Tür vorbeiging, und dass ihr die unglaubliche und glückliche Idee in den Sinn gekommen war, ihn anzurufen, so unerwartet, wie sich ein Luftzug in ein Haus schleicht. Es wäre ihm nie in den Sinn gekommen, es selbst zu tun, und er dachte nicht einmal, dass so etwas möglich wäre. Zumindest nicht mit dieser Art von Frau. Nicht auf dieser sozialen Skala. Und, um die Wahrheit zu sagen, wenn er Zeit gehabt hätte, darüber nachzudenken, wäre er vielleicht beunruhigt gewesen über die Aussicht auf dieses unzeitgemäße Treffen mit einem Kollegen an einem sehr privaten Samstagnachmittag. Aber jetzt, wo er es vor sich hatte, ohne wirklich zu wissen warum, war er glücklich.

-Komm rein und du wirst sehen, in welcher Höhle ich normalerweise meine freien Stunden verbringe.

Sie lächelte und er bemerkte zum ersten Mal, dass sie ein interessantes Lächeln hatte.

-Gar nicht schlecht. Für einen einsamen Mann, meine ich... Aber es gibt hier eine gewisse Ordnung, eine Art geistiges Kontinuum...

-Vielen Dank.

-Und Sie haben einen schönen Blick auf das Meer. Wir haben auch Meerblick. Und zuerst dachte ich, es sei etwas Fantastisches, all diese blaue Weite, jeden Tag einer Farbe, und die große Vielfalt an Wolken, die vorbeiziehen oder gehen. Die Fähre, Segelboote, etc. Aber die Wahrheit ist, dass es heute so ist, als hätte man ein Poster an der Wand.

- Es ist nicht dasselbe. Aber es stimmt, dass man sich daran gewöhnt. Die wohl geheimnisvollste und überraschendste Eigenschaft des Menschen ist seine Fähigkeit, sich an alles zu gewöhnen.

-Es glättet die Ränder der Illusion ein wenig, findest du nicht?

Nichts und niemand kann jemals auch nur ein Jota die Illusion des Menschen abschwächen.

-Oh wirklich?

- Tausendmal würde er von einem Traum enttäuscht werden; Tausendmal versuchte er, es auf eine andere Weise zu verwirklichen. Und wenn er es merkt, sobald er es ein wenig manipuliert, wird er sich sofort langweilen und sofort etwas anderes wollen. Der Wettlauf um das Glück ist ein Mythos, der kein Ende hat.

- Eine endlose Lüge, nicht wahr? »

-Ein bemerkenswert entwickeltes Immunsystem, würde ich sagen.

Laure blickte zu Boden und lächelte.

-"Ich denke, das ist es, was normalerweise passiert, wenn sich zwei Akademiker treffen, auch im Privatleben, wenn sie anfangen, sich die Haare zu spalten.

Was Alba hinzufügen wollte, mußte durch ein Lächeln vermischt und gemildert werden, sonst wäre es unerträglich geworden.

Sicherlich würden die Mitglieder jeder anderen Körperschaft bereits wie Eidechsenschwänze auf ein Bett springen.

Allen Widrigkeiten zum Trotz brach Laure in Gelächter aus.

-Ich weiß nicht, wie du es schaffst, die Spannung immer so drastisch zu senken.

-Spannung?

Laure biss sich auf die Unterlippe und wandte den Blick dem Meer zu.

-Ich hätte nichts dagegen, mich dir gegenüber wie ein Mitglied einer anderen Bruderschaft zu verhalten. Aber heute brauche ich dringend frische Luft und Gespräche. Warum hältst du nicht dein Wort und nimmst die versprochene schnelle Dusche?

-Vorher möchte ich euch noch etwas zu trinken anbieten. Kaffee? Tee? Oder etwas anderes?

-Einen Kaffee, bitte. Aber lass es mich selbst zubereiten, während du dir eine schöne Toilette machst. Wie steht es mit dir? Kaffee? Tee? Oder etwas anderes?

-Ich möchte das Gespräch nicht zu sehr mit Missverständnissen belasten, also begnüge ich mich auch mit einem Kaffee. Erst einmal...

Männer sind alle ein und dieselbe Person.

- Es ist eine Schande, denn in diesem Fall wäre das Vergnügen zweifach: das des Aktes selbst und das Vergnügen, den Bastard Ihres Mannes zu betrügen.

Laure warf ihm einen durchdringenden Blick zu, ihre polierten eisernen Augen drangen in seine und ließen ihn plötzlich hypnotisiert zurück, als sie sich ihm näherte. Sie stellte sich vor ihn, packte fest sein

Hemd und gab ihm einen wilden und wütenden Kuss auf die Lippen. Da war Verlangen, aber auch Wut. Viel Wut. Und Alba war verärgert.

-Ich habe Ihnen bereits gesagt, dass wir es an einem anderen Tag unbedingt so machen werden. Wie Sie wollen und so oft Sie wollen. Aber heute kann ich das nicht.

Alba Longa streichelte ihn ganz leicht und berührte seine Wange kaum mit dem Handrücken.

- Ist etwas passiert?

Laure drehte sich um und setzte sich in einen Sessel. Sie schien zu träumen. Sie schien abwesend zu sein.

-Wir waren fertig mit dem Essen. Wir waren beim Kaffee. Peter fing sofort an, widerwillig zu korrigieren. Er reichte ein Exemplar und wählte in einer gelehrten, aber sarkastischen Haltung einen Satz aus, den er laut vorlas. Der Ton war ausnahmslos spöttisch. Ich für meinen Teil hatte bereits mein gesamtes Paket aufgeschlüsselt. Zwei Wochen lang hatte ich versucht, jede Ausfallzeit zu nutzen, um einige davon zu korrigieren. Am Freitag schloss ich mich mit dem, was übrig geblieben war, im Büro ein und beendete sie. Ich war müde, aber froh, ohne Reste in die Ferien zu starten. Jetzt, nach jeder Mahlzeit, musste ich ihn mit dem Überschuss seiner unansehnlichen Bemerkungen hinunterschlucken. Er hatte, wie gesagt, einige Stellen laut vorgelesen und einen zu tiefen Ton gegeben. Zumal ich nur die Fragmente erhalten hatte, die er ausgewählt hatte, um die Übung zu versenken. Vier von zwanzig. Er liegt in der Regel zwischen vier und fünf Punkten unter dem Normalwert. Und das macht ihn stolz. Es gibt ihm das Gefühl, mächtig zu sein. Er weiß, dass es im Laufe der Jahre zu einer Zerstörung von Lebensprojekten geworden ist, und es ist leicht zu merken, dass ihn das zutiefst befriedigt. Wir unterrichten beide auf Master-Niveau. Wer dort angekommen ist, hat sich bereits bewährt. Sie haben eine Lizenz. Sie sind keine Analphabeten. Die Behandlung, die er für sie erfährt, ist oft unfair, manchmal skandalös.

Sie stand auf. Sie ging zum Fenster, drehte Alba den Rücken zu, merkte aber sofort, dass es nicht richtig war und setzte sich wieder.

- Wenn jemand so voreingenommen ist, wenn er so schlecht gekämmt und schlecht rasiert ist und außerdem zeigt, dass die Jahre nicht umsonst auf seinem Rüssel vergangen sind, wird er schnell zu einem unerträglichen, ekelhaften, unmöglich anzusehenden Menschen. Ich fühlte mich, als hätte sich mein ganzes Blut in grünes Erbrochenes verwandelt, das aus meiner Kehle quoll. Ich weiß wirklich nicht, ob ich wirklich Lust hatte, mich zu übergeben. Durch mein hartnäckiges Schweigen, durch meine Haltung verstand er, was in mir vorging. Doch anstatt in seinem Schwung innezuhalten, lud er die Tinte wieder auf, übertrieb die Gesten, vergrößerte die Schwere seiner Rolle. Ich spürte, dass eine überwältigende Spannung, eine Art Magnetfeld, schnell an Intensität und Kraft um mich herum zunahm, allmählich den Raum überflutete und einen gewaltigen Druck auf die Wände ausübte. Mehrmals hatte er meine Art und Weise, die Tests zu bewerten, kritisiert, was er mit dem Wort Nachlässigkeit zusammenfasste. Allmählich, als unsere Ehe älter wurde, ging sie von Divergenz zu Verachtung über. Und das war es, was nun zwischen die Nähte der soeben aufgedeckten Situation schlüpfte.

In diesem Augenblick hielt sie inne, als hätte sie gerade entdeckt, was sie selbst gesagt hatte.

-Er liebte es, mir in dieser Hinsicht Ratschläge zu geben. Und das, obwohl er immer wieder feststellte, dass ich ihnen nicht folgte und dass ich nicht die geringste Absicht hatte, dies zu tun. So kam er schließlich zur Prüfung eines Jungen, den ich kenne, um ihn auch in meiner Klasse zu haben. Bei mir bekommt er hervorragende Noten und Pierre weiß das ganz genau. Es ist wahr, dass mein Subjekt einen wesentlichen Teil seines Projekts einschließt, aber nicht seines. Doch selbst aus dem, was Pierre gelesen hatte, konnte man schließen, dass er mit Zähnen und Klauen gekämpft hatte. Er hat sicherlich Fehler gemacht; Aber seine Argumentation war nicht völlig abwegig. Wenn er das Semester mit dem Notizkorpus zu seinem Projekt bestanden hatte, den er bereits gesichert hatte, konnte er mit seiner Auswahl für das folgende Jahr rechnen. Wenn er das zweite Semester nicht bestanden hätte, obwohl das erste bereits bewilligt worden war, hätte er nicht nur das Jahr verloren, sondern er hätte sich auch nicht wieder in diese Fachrichtung einschreiben können. Ich hätte es verstanden, wenn er nicht den Durchschnitt darauf gesetzt hätte, denn das System zwingt uns, in diesem Bereich eine rücksichtslose Auswahl zu treffen; Diese vier von zwanzig, die er gesetzt hat, blockieren jedoch die gute Datei, die dieser Student sonst hatte. Das war zutiefst unfair. Ich weiß, dass dieser Junge sein Studium bezahlt, indem er bis spät in die Nacht mit dem Motorrad Pizza ausliefert, für diejenigen, die die Apathie haben, sich ein anständiges Abendessen für ihre Familie zuzubereiten, weil seine Eltern bis zu den Augenbrauen verschuldet sind, nur um leben zu können. Und von Pierre de Grimbosq weiß ich auch, daß er reich von Geburt war, in eine bürgerliche Familie mit den größten Vorfahren dieser Stadt hineingeboren. Außerdem war sein Vater ein bekannter Jurist, ebenso wie zwei seiner Onkel und ein älterer Bruder. Gemeinsam gaben sie ihm alles, was sie gekaut hatten, und nahmen ihn bei der Hand, als wäre er ein Baby. Er ist natürlich kein schlechter Lehrer, er weiß, wovon er spricht, und er kennt sein Handwerk, aber er ist nicht die Quelle der Weisheit und das unauslöschliche Licht und der unveränderliche Lorbeer, für den er sich hält. Und das Verdienst, das man ihm zuschreiben kann, weil er den Rang erreicht hat, den er einnimmt, ist sicherlich begrenzt. Ich weiß auch, dass er den Austausch von Gefälligkeiten praktizierte, indem er die Noten des einen um ein paar Punkte senkte, um die Noten des anderen zu heben, die Ecken und Kanten glättete, in Übereinstimmung mit einer globalen Strategie, die darauf abzielte, den Weg der einen freizumachen, indem man den der anderen blockierte. Trotz der Propaganda ist eine Elite immer noch endogam, aber die des Frankreichs, des heutigen Frankreichs, nimmt den Kuchen. Und jetzt gab er sich besondere Mühe, mich dazu zu bringen, Fata Morganas zu sehen. So handeln Menschen, die gewohnt sind, unsichtbare Fäden zu ziehen, um praktische Wirkungen zu erzielen und zu gedeihen, wie er mir zu sagen schien. Der Ekel, den ich in diesem Augenblick für ihn empfand, kann nicht in Worte gefasst werden. Er war sich dessen sehr bewusst und schien sich nicht im Geringsten darum zu kümmern. Außerdem hat er es sichtlich genossen. Er ging zu einer neuen Prüfung über und fuhr in der gleichen Weise fort. Sein sardonisches Lachen, das Auf und Ab seiner sarkastischen Rede, das verächtliche und abwertende Vokabular, das er wählte, die gleiche Fülle in all dem, die endlose Wiederholung mit verschiedenen Formeln und die Befriedigung, die er zeigte, als er sah, welche Wirkung das alles auf mich ausübte, verbrannten meine Nerven.

Dann, unerwartet, brach sie in ein Gelächter aus, so offen wie noch vor wenigen Augenblicken.

- Sie können sich nicht vorstellen, was in diesem Moment passiert ist.

Alba Longa schluckte, konnte aber nicht antworten.

-Auf der amerikanischen Bar stand ein Trinkglas. Er muss es getrunken haben und, ohne es zu waschen, dort gelassen haben. Nun, dieses Glas. Du wirst es mir nicht glauben. Dieses Glas, das ein gewöhnliches Glas war, war identisch mit jedem anderen Glas unter den vielen, die wir zu Hause haben. Ob Sie es glauben oder nicht, es explodierte. Im Inneren des Hauses sah es aus, als wäre eine Bombe abgeworfen worden. Er zerbrach in tausend Stücke und seine Überreste waren im ganzen Speisesaal verstreut. Ich fühlte mich wie Wespenstiche in meinem Gesicht und meinen Armen. Pierre sah mich mit Augen an, die wie Untertassen aussahen. Ich stand einfach auf, schnappte mir die Autoschlüssel und verließ das Haus.

V

Die Restaurierungsarbeiten wurden jede Woche am Samstagmittag abgeschlossen. Fabrice, der Sakristan, warnte die Nachzügler, wo immer sie sich befanden: »zur Suppe«, sagte er, oder zu einem anderen vorgefertigten Satz, der mehr oder weniger der Situation angepaßt war; Die Dringlichkeit, die er seiner Intonation beimaß, war jedoch immer noch spürbar. Clara erinnerte sich an einen anderen Sakristan, der sich ebenfalls für Essen interessierte, den des Lazarillo: "Laß uns essen und siegen, Lazarus"; Nichtsdestoweniger leugnete der magere Hungerlohn seine Worte sofort. "Es ist so, dass wir, die Sakristane, sparsam essen und trinken müssen", pflegte er zu behaupten. Das hinderte ihn nicht daran, sich bei Totenwachen zu vollfressen. Trauer mag für die Hinterbliebenen bitter sein, aber für andere sind sie Camacos Hochzeit." Clara wußte nicht, ob Fabrice in Hülle und Fülle gegessen und getrunken hatte, aber sie zweifelte nicht daran, daß die Samstagsmahlzeiten in Wirklichkeit für ihn bestimmt waren – Camachos Hochzeit. Er ließ keinen verstreichen und wenn ein besonderer Umstand mitten in der Woche eines dieser Feste erforderte, war seine Anwesenheit nicht nur selbstverständlich, sondern er war es auch, der sich um die Zusammenstellung der Gästeliste und die Tischreservierung im üblichen Restaurant kümmerte. Er war mehr als ein Sakristan, er sah aus wie ein Hoflieferant eines mittelalterlichen Klosters. Die Wahrheit ist, dass Fabrice sich um nichts kümmerte, und noch weniger darum, was andere von ihm denken würden. Jeder seiner Sätze endete mit einer ironischen Grimasse, die alles zu tolerieren schien und nur ein sardonisches Lächeln skizzierte, das ein Weltbild mit selbstgenügsamen und zynischen Wurzeln verriet. Er war ein *Beamter des Heiligen, der für immer mit der Kirche verbunden ist, ad vitam aeternam,* auf Lebenszeit, und dazu kommt der Vorteil, dass er nicht gezwungen ist, die große Verantwortung zu übernehmen, die eine Weihe mit sich bringt. Klara erriet in ihm einen jener freizügigen

Erzpriester des Mittelalters, die sich ebenfalls in einer sicheren Stellung wähnten und denen keine *Missi dominici* des Papstes je die Party verderben würde. Natürlich kannte er seine Mission gut, die Bedeutung der Symbole und Zeremonien der Anbetung beherrschte sie perfekt und machte nie Fehler. Die Reste von Weihwasser zum Beispiel sammelte er zwar mit einem gewöhnlichen Schwamm und einem Plastikeimer, aber dann ging er in einen Hinterhof, um es auf den Bürgersteig zu gießen, denn es war schließlich Weihwasser, und es kann nicht in die Toilette geworfen werden. Und dann, während er seine Gründe erklärte, zeichnete er jenes ironische Lächeln auf, das ihn wie Sommerfliegen charakterisierte.

Neben ihm saß Edouard Massa, ein grauhaariger Mann in den Fünfzigern, dessen Koketterie ihm nahelegte, sie lang zu tragen, was seinem Alter und seinem Zustand nicht angemessen war, und den er, ehe er bereit war, ein Stück zu schlucken, von allen möglichen Seiten betrachtete. Edouard Massa war eine andere Form des Zynismus, noch sibyllinischer und verdrehter als der von Fabrice, weshalb er genauso giftig und beißend sein konnte wie dieser, als er sie durch seine florentinischen roten Lippen honigsüß herauskommen ließ, da Zynismus und Misanthropie normalerweise Hand in Hand gehen, ohne dass es leicht zu bestimmen ist, wer von beiden der Ursprung des anderen ist. Ganz zu schweigen davon, dass, wenn die schwarze Tinte so auf andere geladen wird, es daran liegt, dass man sich auf der anderen Seite der Skala sehr schätzt, wenn nicht sogar auf einem wirklichen Podest, wie es wahrscheinlich im Fall von Massa der Fall war, den Clara irgendwo zwischen bewusstem Egozentrismus und krankhafter Selbstvergötterung angesiedelt hatte. Aber eine solche Selbstauffassung wurde dem Betrachter als mit einer Schicht von Verfeinerung überzogen, die den Kern vor den Augen der Unvorsichtigen verbarg, die sich aber nur denen offenbarte, die wussten, wie man diese Lackkruste abkratzt und die innere Textur analysiert. Eine Operation, die sich lohnte, wenn man gezwungen war, mit ihm zu verkehren, weil er in Abwesenheit seiner Opfer wie ein Schwätzer zu beleidigen pflegte und seine Schlangenzunge mißbrauchte, obwohl sie süß und salbungsvoll wie die eines Kardinals war. Zu diesem Zweck richtete sich seine Aufmerksamkeit nicht so sehr auf die Lippen, die ihn hervorbrachten, sondern auf seine Ohren, um jede unangebrachte Sorglosigkeit im Munde der anderen zu erhaschen, jede Einzelheit, die aus der Spontaneität und Unaufmerksamkeit der anderen entsprang, die, wenn die Zeit gekommen war, gegen sie verwendet werden könnte.

Es gab Morgen, an denen Edouard Massa nicht mehr als drei Pinselstriche gab, aber diese von unvergleichlicher technischer Perfektion. Trotzdem war Clara der Meinung, dass er niemals ein Genie werden würde, denn es fehlte ihm an Kühnheit, an der Wut der Erfahrung, an der Akzeptanz des Risikos, das der dreifache tödliche Sprung ins Leere mit sich brachte. Als Restaurator antiker Kunstwerke war er jedoch von unschätzbarem Wert. Es war ohne Zweifel das Beste von allen.

Trotz ihrer unbestreitbaren beruflichen Qualitäten achtete Clara sehr darauf, ihm nicht zu nahe zu kommen, da sie befürchtete, dass sie, wenn sie versehentlich einen Punkt auf seiner Haut berührte, nicht in der Lage sein würde, ein Zittern zu kontrollieren, wie es beim Berühren der schleimigen Haut einer Schlange auftritt.

Glücklicherweise hatte das Team andere Mitglieder, deren Gesellschaft viel netter war als die der beiden oben genannten Personen. Neben dem jungen irischen Priester, der auf allen vier Seiten Frische und Offenheit ausstrahlte, wurde die Abteilung der Restauratoren durch drei weitere Elemente vervollständigt: ein Charakter, der sich freilich nicht durch einen besonderen Anspruch auszeichnete, durch seine äußere Erscheinung zu glänzen, weil er sich ganz gewöhnlich kleidete, ohne jedes Unterscheidungsmerkmal, Ob persönlich oder auffällig, er trug eine Brille, die mit dicken Kristallen beschwert war, und seine Haare waren ausnahmslos an der Bürste geschnitten. Er hatte jedoch einen facettenreichen Charakter, er hatte mehrere theoretische Werke zur Restaurierungstechnik, aber auch Romane und Gedichtbände veröffentlicht. Auf der anderen Seite hatte er bei vielen Gelegenheiten gezeigt, dass er eine bemerkenswerte Kenntnis des mathematischen Denkens und Verfahrens besaß. Sein Name war Ferdinand Couperet. Zwei Frauen komplettierten das Team. Ihre Charaktere waren weit voneinander entfernte Pole. Sarah Lesseps war die intellektuelle Chlorotikerin, die Typus, die sich gewöhnlich hinter den riesigen Kristallen ihrer Brille versteckte, obwohl ihre fein und durchscheinend war, während Roxane Stacca die Pflanze der Frau besaß, die mit großzügigen Formen ausgestattet und in der Konfiguration geformt war, die Männern so gut gefällt.

Alle waren natürlich tadellose Fachleute; Sonst wären sie nicht für die heikle Arbeit, die sie leisten, ausgewählt worden.

Manchmal beehrte sie der große Batrachianer, der imposante Erzpriester, Monsignore Maurice de Sully, mit seiner voluminösen, unregelmäßigen und bizarren Präsenz.

Zu dieser Zeit und für mehrere Monate waren die Arterien von Paris an Samstagen gesättigter als sonst, denn zu der bekannten Unendlichkeit von Bussen, die Touristen transportierten, musste man die Vielzahl anderer hinzufügen, die die berühmten und beliebten Gelbwesten transportierten, und die nicht minder üppige Kohorte von Bussen und Lieferwagen, die die immer verhassteren Sicherheitskräfte transportierten. die sich kaum von der politischen Polizei der erbärmlichsten Diktaturen der Welt unterscheiden ließ. Es hätte viel Heuchelei und viel Eigeninteresse gebraucht, um sie nicht so zu sehen. Obwohl, wenn man darüber nachdenkt, die Partikularinteressen sehr hoch sein müssen, um die Gemeinschaft mit diesem französischen politischen System zu erreichen, das, um den höchsten nationalen Vermögen zu nützen und internationale Investitionen anzuziehen, die Grenzen des demokratischen Rahmens überschritten hat, insbesondere mit der propagandistischen und finanziellen Methode, die für die Wahl dieser Kindermarionette verwendet wurde, die heute im Elysée-Palast sitzt, was sie zu etwas anderem machte, zu einer Art Abtreibung, die Legitimität beanspruchte, aber durch eine infame Manipulation aufgebaut wurde, die mit Geld, Versprechungen an das Großkapital, Steuersenkungen für die Reichsten und schamloser Propaganda orchestriert wurde, während die Schwachstellen der Wahlgesetzgebung der Fünften Republik missbraucht wurden, insbesondere im Hinblick auf den doppelten Wahlgang sowie die Präsenz der extremen Rechten, die keine andere Aufgabe hat, als zur rechten Zeit als Buhmann zu dienen, und die danach glänzend ignoriert wird, Umstände, die die Wahl eines Präsidenten ermöglichen, der, so gut er kann, durch das oben beschriebene Verfahren und die Unterstützung der kapitalistischen Oligarchie und des Gewichts der Finanzen im ersten Wahlgang zwanzig Prozent erreicht, Es braucht nicht mehr, im Gegensatz zu achtzig Prozent, die für einen anderen Kandidaten gestimmt haben oder die nicht gewählt haben, weil sie kein Vertrauen in das System hatten, was offensichtlich geplant war und Teil des Plans war, auf jeden Fall sind es achtzig Prozent, die diejenigen hassen, die die Macht innehaben, die auch fast alle Eigenschaften und Vorrechte des ehemaligen Königshauses beibehalten haben. eine Art republikanische Monarchie. Die Unzufriedenheit des Volkes, die in diesem Fall besonders ärgerlich wird, da nach dem Wahlkater die Propaganda nur teilweise erleichtert wurde, wurde sofort mit den ersten Schritten des Schurken die kategorische und absolute Unfähigkeit des letzteren offensichtlich, die an politischen Autismus grenzt. Was als einfacher Protest gegen den Anstieg des Benzinpreises begann, wurde mit dem Ablauf der Samstage und auf die gleiche Weise, wie der Appetit durch Essen geweckt wird, zu einer zweiten französischen Revolution, der gelben Revolution der Gelbwesten oder der Revolution von 2018, wie sie in den Geschichtsbüchern genannt wird.

"Wieder einmal wird das Verlassen von Paris zu einem Weg von Golgatha", protestierte Edouard Massa, während er einen verstohlenen und gierigen Blick durch die Fenster auf die Gruppen von Gelbwesten warf, die auf der Suche nach dem Punkt, an dem sie zusammenlaufen müssen, durch die Straßen streifen. – Wenn es ein oder zwei Samstage wären, aber das sprengt alle Grenzen. Jeden Samstag müssen sie Paris in den Kriegszustand versetzen, sonst sind sie nicht glücklich.

Und ohne eine Antwort abzuwarten, begann er mit der Gabel in dem Salat zu wühlen, der ihm eben gebracht worden war, als erwarte er, eine Fliege oder eine Eidechse zu finden.

– Nun, wenn ich sicher wüsste, dass es heute noch so schwer sein würde, Paris zu verlassen, würde ich ruhig zu Hause bleiben und zum Beispiel ein gutes Buch genießen.

Es war Fabrice, der dieses Argument vorgebracht hatte, das anscheinend so mit gesundem Menschenverstand beladen war; obwohl, nachdem man sein ironisches und böses Lächeln gesehen hatte, immer bereit war, ihm eine sibyllinische Absicht zuzuschreiben, die er in Worte zu fassen wußte, wie Hundemischer das Gift im Pudding verstecken.

-Wirklich? antwortete Edouard. - Und was kann ich tun, um mein Zuhause in der Normandie und die Ruhe, die es umgibt, zu genießen? Ich habe sie nicht mit meinem guten Geld gekauft? Wer sind sie, dass sie mich daran hindern, von dem zu profitieren, was mein ist und was ich ehrlich mit dem Produkt des Schweißes meines Angesichts erworben habe? Außerdem würde ich mit dem Kapernaum, das sie zusammenstellen, nicht in der Lage sein, das ganze Wochenende zwei Seiten hier zu lesen.

Ausnahmslos alle lächelten über den Ausdruck - Schweiß von meinem Angesicht." Denn Edouard Massa schwitzte nicht einmal im Sommer der Hitzewelle, als es in Paris heißer war als in Mekka. Aber er beschloss, die weit verbreitete Skepsis zu ignorieren und fuhr fort:

- Natürlich mag das System diese Raucher von "*Gitanes*" und Trinker von - *Pastis* nicht, wenn sie nicht wissen, wie man das o mit einem Kompass macht und ihr Bauch und ihr Gesäß zu viel wiegen, um die Straße zu überqueren und Arbeit zu suchen, ist es besser, sich bei

"Canal Plus" anzumelden und sich vom Staat unterstützen zu lassen. Aber wir sind alle der Staat.

So viel Verachtung für die Arbeiterklasse vermochte es, das Lächeln aus Couperets Gesicht zu tilgen, was ihn dazu veranlasste, mit schlecht unterdrückter Gereiztheit zu antworten:

- Der Staat besteht aus uns allen, aber wir unterstützen ihn nicht gleichermaßen, je nachdem, wie es jeder will. Dank des LREM, das einem beim Sprechen den Mund füllt, zahlen die Reichen immer weniger Steuern, obwohl die Vorteile immer größer und sogar unverhältnismäßig sind. Und da sie nicht zahlen, sind es die Bettler, die es tun müssen, denn euer Staat kann nicht aufhören zu funktionieren, obwohl sie entschlossen sind, ihn immer weniger gut funktionieren zu lassen.

-Wie zahlen sie nicht? Wenn sie diejenigen sind, die am meisten beitragen. Wenn ihnen jemals die Idee in den Sinn kommt, woanders zu investieren, werden Sie sehen.

- Das tun sie bereits. Oder tust du so, als würdest du es ignorieren? Alles, was sie uns hier zum Preis von Gold verkaufen, haben sie draußen zum Preis von Blei hergestellt. Außerdem, möchtest du das Gehalt eines Lehrers haben und die Steuern zahlen, die er zahlt? Nein, Sie möchten Ihre Steuern zahlen und Ihr Gehalt erhalten, weil Sie wissen, dass selbst wenn Sie in absoluten Zahlen mehr zahlen, die Auswirkungen proportional geringer auf Ihr Budget sind. Und dass in deinem Fall der Unterschied zu einem Lehrer unbedeutend ist im Vergleich zu dem, was im Vergleich zu großen Vermögen besteht.

-Der wirkliche Unterschied ist, dass ich studiert und meine Zähne verloren habe, um in meinem Beruf Spitzenleistungen zu erbringen. Diejenigen, die ihr Geld vermehren, haben auch in ihrem Geld Exzellenz erreicht. Während diejenigen, die heute diese gelben Westen tragen, in den Tagen der Schule und des Gymnasiums den Tag damit verbrachten, Papierkugeln in Klassenzimmer zu werfen.

- Diejenigen, die diese gelben Westen tragen, legen sie sofort und auf einmal an, weil sie zuvor unter Androhung einer Geldstrafe gezwungen waren, ein zugelassenes Modell zu kaufen, das von niemandem hergestellt werden konnte, aber derjenige, der es getan hat, wird jetzt ein Milliardär sein und sein Vermögen mit den Politikern teilen, die ihm die Exklusivität gegeben haben.

Es sollte das Leben vieler von ihnen retten.

-Wie Radarkameras, oder?

-Sehr fair, wie Straßenradare, oder retten Straßenradare nicht Leben?

-In diesem Beispiel haben Sie das Senfkorn, das der gesamten französischen Diät Geschmack verleiht und darin besteht, ein Verzeichnis aller guten Absichten zu erstellen und in jede von ihnen das Laster einzufügen, mit dem Sie Geld aus der Operation abheben können. Aber alle sind so konzipiert, dass derjenige, der am meisten zahlt, derjenige ist, der am wenigsten hat, in diesem Fall derjenige, der drei oder vier Stunden am Tag im Auto verbringen muss, um zur Arbeit zu fahren. Nun, er ist nicht derjenige, der das Risiko eingeht, das Auto auf zweihundert Stundenkilometer zu bringen, wenn es mit neunzig fahren sollte. Unter anderem, weil sein Auto kaum hundertvierzig Jahre alt wird. Er wird es höchstens auf hundert setzen, die meiste Zeit unvorsichtig, und wenn er es merkt, wird er seinen Fuß heben. Es ist wahrscheinlicher, dass derjenige, der es auf zwei Cent beziffert, der Besitzer einer nagelneuen Porche Carreras ist, aber die Strafe ist ihm egal. Heute schaut der durchschnittliche Autofahrer auf kaum mehr als das Instrument, das die Geschwindigkeit anzeigt. Und es ist auch nicht ungefährlich.

-Unsinn. Statistiken zeigen...

Statistiken sind die größte Mystifikation, die in den letzten Jahren erfunden wurde. Zunächst einmal die von Rating-Agenturen herausgegebenen Ratingagenturen, die Tag für Tag die Zahlungsfähigkeit der Staaten anzeigen. Staaten sind kein privates

Unternehmen und müssen nicht zahlungsfähig sein; Außerdem sollten sie es nicht haben. Diese Rating-Agenturen sind nichts anderes als ein Erpressungsinstrument in den Händen des Großkapitals.

Die Staaten zahlen also ihre Schulden nicht... Und was machen wir mit den Millionen von Sparern, die einen Beitrag geleistet haben?

-Diejenigen, die den Löwenanteil ausmachen, sind nicht so zahlreich... Es ist eher eine Handvoll, nicht mehr. Aber die Staaten müssen sich wieder mit den Instrumenten ausstatten, die sie vor vierzig Jahren hatten und die es ihnen ermöglicht haben, wirtschaftliche Zahlungsfähigkeit, d. h. auch politische Unabhängigkeit zu erreichen.

- Welches zum Beispiel?

- Eine verstaatlichte Bank, das Recht, Geld auszugeben, das sie verloren hat.

Das ist Kommunismus.

Mitterrand tat es, und er war nicht gerade ein Kommunist.

Er war Sozialist.

-Weder. Aber es ist wahr, daß es in einem unendlich größeren Grade war als diejenigen, die sich jetzt so nennen. Was wir heute haben, alle Parteien zusammen, ist eine Galerie mit den gleichen Hunden, aber mit Halsbändern in verschiedenen Farben. Das ist der Kern des Problems und der Grund für das Scheitern dessen, was wir so stolz Demokratie nennen und was es nicht ist. Das ist bei weitem nicht der Fall. Mit jedem Tag, der vergeht, ist dies immer weniger der Fall. Und da dieses System in Singapur betrügerisch installiert wurde, dessen sichtbarer Vikar sozusagen der letzte Präsident ist, ist es gar nichts.

Clara glaubte, ihrem Großvater zuzuhören. Aber sie richtete ihren Blick auf Fabrice, um zu prüfen, ob sich unter dem Deckel seiner Hand, die mit einer erfolglosen Natürlichkeit arrangiert war, ein Lächeln der Befriedigung entfaltete.

Es war Sarah, die zurückschoss:

-Der Ausdruck - die Straße überqueren, um einen Job zu suchen", Sie kennen ihn sehr gut, es ist ein Satz, den Sie sich von ihm geliehen haben. Aber wenn er diese und all die anderen Provokationen auf der intellektuellen Ebene der Grundschulbildung ausspricht, die er anwendet, vergisst er, oder er weiß es nicht, oder tut so, als wüsste er es nicht, wer weiß! dass es jetzt eine neue soziale Klasse gibt, vor allem in Paris und anderen Großstädten, in denen Wohnungen astronomische Preise erreichen, die der Obdachlosen. Ansonsten sind nicht alle, die sich die Gelbweste anziehen und auf die Straße gehen, arbeitslos, sondern viele von ihnen sind Leiter kleiner Unternehmen, die, wenn es so weitergeht, in wenigen Monaten schließen müssen, ertränkt von direkten und indirekten Steuern, wie z. B. der Steuern, die den Diesel betreffen. Ganz zu schweigen von den Beamten: Lehrer, Professoren, Ärzte, Krankenschwestern im öffentlichen Dienst, die seit zwanzig Jahren dreimal mehr arbeiten und deren Gehalt dreimal niedriger ist, da ihre Gehälter seit Jahrzehnten eingefroren sind und ihre Arbeitsbelastung angesichts des Mangels an Ressourcen in den Krankenhäusern und der verschiedenen Bildungsreformen zugenommen hat. Jetzt stellen sie fest, dass es ihnen an Kandidaten für solche Positionen mangelt, die früher so geschätzt wurden, für Arbeitsplatzsicherheit, für Urlaube, die sie übrigens mit allen Mitteln zu reduzieren versuchen, aber die Realität ist, dass derjenige, der, wie in Ihrem vorherigen Beispiel, studiert hat, derjenige, der sein ganzes Leben lang der Erste der Klasse war, Er akzeptiert nun Sklavenarbeit für nur noch ein wenig Brot.

»Sklavenarbeit,« entgegnete Eduard, dessen Wangenknochen vor Zorn zu erröten begannen, »höchstens achtzehn Stunden in der Woche zu arbeiten und mit seinen Schülern zu plaudern.

"Ich weiß nicht", antwortete Sarah, "auf welches Gymnasium du gegangen bist, um so zu sprechen. Zu einem Gefreiten im Zentrum von Paris, nehme ich an. Oder liege ich falsch? Sag die Wahrheit.

-Nein. Da liegst du nicht falsch.

-Nun, wo ich war, sind die Dinge anders. Nur sehr wenige von uns, die daran gewöhnt sind, in Ruhe zu arbeiten und mit gebildeten

Erwachsenen zu verkehren, würden eine einzige Woche aushalten, und diese achtzehn Stunden würden zu achtzehn Glutnestern werden, die eine nach der anderen zu verschlingen sind. Und in der darauffolgenden Woche musste alles wieder von vorne beginnen. Während er oben und unten, rechts und links rechenschaftspflichtig ist, immer gegenüber Menschen, die noch nie einen Fuß in ein Klassenzimmer gesetzt haben, als Lehrer. Und das alles für einen Hungerlohn. Du würdest erröten, wenn du das Gehalt eines angehenden Lehrers kennen würdest.

- Durchschnittlich dreitausend Euro pro Monat, sagte Blanquer, sie gewinnen. Und ich denke, ein Bildungsminister wird es besser wissen als Sie, nicht wahr?

-Da träumst du. Weniger als die Hälfte der Menge, die Sie erwähnt haben. Es ist wahrscheinlich, dass ein Bildungsminister über viele Dinge mehr weiß als ich, aber es würde immer noch ein Mindestmaß an Ehrlichkeit erfordern, die Dinge so zu sagen, wie sie sind, und sie nicht systematisch zu verzerren. Der Beweis ist, dass sie sie nicht finden können, diese Lehrer. Und sie werden sie immer weniger finden, wenn sie so weitermachen. Es wird ihnen ergehen wie Diogenes, der einen Mann mit einer Laterne suchte und ihn nie fand.

Maurice de Sully, der Erzpriester der Kathedrale von Batrach, ergriff das Wort:

- Die Menschen brauchen nicht viel, um zufrieden zu sein: eine Beschäftigung, ein tägliches Stück Brot, ein Dach, das nicht zu jeder Stunde fällt, ein Jahr, das mit Festen übersät ist, um ein wenig zu beten und viel zu essen, die wesentlichen Zeremonien, die des Eintritts und des Austritts des Lebens und nichts anderes oder fast. Wenn er diesen Grundkörper nicht hat, rebelliert er. Dreizehn Jahrhunderte lang hat die Kirche ihn mit sich und seiner Seele in Frieden gehalten. Zwei Jahrhunderte bürgerlicher Herrschaft reichten ihm jedoch aus, um daran zu denken, sich zu erheben und die Bastille zurückzuerobern. Tatsache ist, dass dies nicht nur hier in Frankreich, sondern auf der ganzen Welt geschieht. Das Gleichgewicht ist zerbrochen, denn Gier zerbricht immer den Sack. Und die Leute merken es. Ich spreche von dieser Schwelle, dieser roten Linie, die eine sehr feine Linie ist, wie die einer Rasierklinge. Wenige Millimeter vor dem Ziel sagen die Leute noch: "Gib mir Brot und nenne mich einen Narren. Um einen Millimeter überschritten, benutzen die Menschen Mistgabeln und Messer und nicht zum Essen oder Arbeiten. Und Lügen reichen nicht mehr aus, und auch keine Brotstücke mehr, um sie zu besänftigen, das Tier, das in ihnen schläft, erhebt sich. Das ist es, was jetzt geschieht. Und um es zu stoppen, müssen Sie zu einem sehr großen Mittel greifen, zu etwas sehr Beunruhigendem, zu einem Ereignis, das sie für eine ganze Weile fassungslos macht, ein Krieg zum Beispiel oder etwas Ähnliches.

VI

Was unten ist, ist wie das, was oben ist. Die Straßen und Alleen sind unten auf die gleiche Weise wie oben angegeben. Es genügt, eine touristische Karte des alten Paris zu haben, um überall auftauchen zu können, ohne ein menschliches oder künstliches Auge, die Annäherung zu erkennen und dann auf die gleiche Weise zu verschwinden. Bemoz bestand darauf, dass ich so wenig wie möglich an die Oberfläche komme, weil meine Physiognomie, wie übrigens auch seine, sofort die Aufmerksamkeit auf sich zieht. Für bestimmte Fahrten nutzt er auch oft die Pariser U-Bahn.

Mal sehen, welche Route dieses Mal die beste ist. Das stimmt. Sie müssen Geduld und eine Vorliebe für Nachtwanderungen haben. Alles, was in einigen Büchern und Romanen wie "Das Phantom der Oper" gesagt wird, ist real. Hier gibt es Flüsse, Seen und Zisternen, die sich wunderbar als Pools eignen. Viele Abschnitte sind sogar zufriedenstellend ausgeleuchtet. Was den Touristen beigebracht wird, ist nur ein kleiner Teil des Netzwerks. Und das Netzwerk hat mehr Ausgaben, als der Vulgäre denkt, alles geheim.

Für diejenigen, die Zugang zu dieser Welt haben, gibt es keine Hindernisse, nichts ist geschlossen, vom Innenministerium, mit dem Code, der sich daraus ergibt, natürlich, bis zum Louvre-Museum, durch die besten Restaurants und Nachtclubs. Alles hat freien Eintritt, zu jeder Zeit und mit allen bezahlten Gebühren. Natürlich wird diese Erlaubnis nicht jedem erteilt.

Er gab mir nur eine Empfehlung. Wenn ich einer Gruppe maskierter Männer begegne, muss ich zuerst versuchen, mich nicht zu sehen; Zweitens, ob sie mich gesehen haben oder nicht, muss ich so schnell und so schnell wie möglich gehen. Im übrigen kann ich mir nehmen, was ich will, oder fragen, was ich will. Ist es möglich, dass es Menschen gibt, die eine Maske aufsetzen können, um durch diese Eingeweide der Hölle zu kommen?

Es gibt auch Seiten, die nur von hier aus erreichbar sind, aber da darf ich meine Nase nicht hinstecken. Das ist nicht mein Krieg... Zumindest für den Moment, oder vielleicht unter bestimmten Umständen. Sehen...

Dass ich mich daran gewöhne, dass ich es in alle Richtungen durchquere, bis ich es auswendig lerne.

Mein Krieg ist der, den er mir befiehlt. Und es gibt keinen Grund zu diskutieren. Er ist mein Meister, und ich bin sein Diener. So wie er ein Diener anderer Meister ist. Wir sind die Glieder in einer Kette. Zu den stärksten und solidesten gehört, die es gibt. Und wer nachgibt oder zerbricht, bezahlt mit seinem Leben. Wir sind keine Klempnerfirma. Unser Geschäft ist es, die Welt zu dominieren, und das ist kein Truthahnrotz.

Geld allein reicht nicht aus. Aber Geld kauft Kraft. Geld ist also Stärke. Und wo sich Stärke manifestiert, da ist auch der Wille des Geldes. Kauft, ihr Idioten, kauft. Denn je mehr Sie kaufen, desto stärker ist das Geld.

Die erste Aufgabe, die mir mein Meister anvertraut hat, ist weder schwierig noch gefährlich. Jeder könnte es ausführen, obwohl mein Meister vielleicht nicht jedem vertraut. Wenn nun diese Glocke läutet, wird sie auf der ganzen Welt zu hören sein.

Es scheint mir, dass ich den Grund verstehe, warum sie wollen, dass die gesamte Menschheit betäubt und benommen wird. Aber ob ich es verstehe oder nicht, spielt keine Rolle. In diesem Fall, wie auch in denen, die später kommen werden. Die Befehle des Meisters müssen ausgeführt werden, ohne die geringste Zeit mit der geringsten Rücksicht zu verlieren, sei es moralischer Art, sei es in Bezug auf ihre Durchführbarkeit oder in Bezug auf die Gefahr, die mit ihrer Ausführung verbunden ist. Dies sind die Bedingungen, die der Vertrag beinhaltet und die ich akzeptiert habe, als ich ihn unterschrieben habe. Das Schlimmste, was mir passieren kann, ist der Tod. Aber war ich nicht fast tot, als der Meister alles Fleisch auf den Spieß legte, um mich aus den Klauen der Zahnlosen zu reißen, als sie mich schon bis an die Pforten der Hölle geschleppt hatte?

Die Dämonen sind mit leeren Händen geblieben und müssen warten, bis mein Meister es will, um mich in die brennenden Pechkessel zu bringen, die sie für mich vorbereitet haben.

Im Übrigen nehme ich mir auf den Weg, was ich will... Wird er wissen, was ich wirklich will? Es gibt nur eine Sache, die mich an dieser Stelle für immer begeistert. - Der Tod von tausendundeiner Schnittwunde. Wer versucht hat, sie zu verwalten, findet keine Befriedigung mehr in etwas anderem. Was für andere den Gipfel der sinnlichen Verfeinerung ausmacht, selbst das, was nur den Perversesten in den geheimsten Höhlen zuteil wird, wird für diese fad und geschmacklos sein. Lassen Sie den Schrecken stundenlang anhalten, indem Sie ihn mit Bedacht mit Schmerz mischen. Die Erfahrensten, zu denen ich, ohne mich rühmen zu wollen, die Ehre habe, mich zu halten, können sie tagelang ausdehnen. Der Patient schaltet sich langsam aus, wie das Licht einer Kerze, die gut mit Wachs gefüllt ist, aber einen winzigen Docht hat. Nichts ist befriedigender. Es gibt nichts auf dieser Welt, das in der Lage wäre, eine so intensive und dauerhafte Entladung von Vergnügen hervorzurufen. Und wenn die Operation abgeschlossen ist, bleibt ein authentisches Kunstwerk übrig. Was ein Leben lang Freude bereitet, diesmal ästhetisch, wenn man sich daran erinnert.

So wie ein bestimmtes Parfüm, das auf eine andere Haut gegossen wird, ein präzises Aroma erhält, so erzeugt jeder menschliche Charakter, jede einzelne Nuance, jeder einzelne Stoff aufgrund der einzigartigen Reflexionen, die er ausstrahlt, ein unverwechselbares, einzigartiges, unersetzliches Erlebnis. Jedes Alter, jedes Geschlecht, jede soziale Position, jede Art, die Welt zu sehen, wird zu einem exklusiven Kaleidoskop, das eine versunkene Rotation ausatmet, die nie wieder auf die gleiche Weise stattfinden wird, mit der gleichen Verteilung von Zeit und Figuren wie in diesem einzigartigen Fall.

Dem Impuls nachgeben oder in die Bremse beißen, die mir der Meister in den Mund gelegt hat? Früher oder später werde ich irgendwann nachgeben, denn dieses Mandat kommt von außerhalb des Bereichs des Gewissens, zu dem wir die Rechtsprechung haben. Es kommt aus der Dunkelheit, dem Undurchsichtigen, der Umgebung, die in der Lage ist, die verdorbensten und rücksichtslosesten Monster zu verbergen, die jeden von uns bewohnen. Nicht an den entlegensten Orten der Erde, sondern in uns selbst. Eine nahe, wenn auch in Dunkelheit und dichten Nebel gehüllte Welt, aus der plötzlich, wenn man es am wenigsten erwartet, brüllend aufspringt und nach Blut verlangt.

Sobald die Bestie zufrieden ist, kehrt sie immer wieder zurück, um ihre blutige Beute einzufordern. Und je mehr sie gefüttert wird, desto rauer und häufiger wird ihr Appetit.

Im Augenblick muss ich jedoch die Zügel des Karrens fest in der Hand halten, zumindest bis ich die erste mir anvertraute Mission erfolgreich abgeschlossen habe. Ich würde vor meinem Meister schwer ausgeschlossen werden, wenn ich, noch bevor ich auch nur eine einzige verantwortungsvolle Aufgabe erfüllt habe, alles vergeudete, weil es mir an der erforderlichen Selbstbeherrschung mangelte. Auch darin hat er mich gewarnt. Wenn ein Offizier meines Ranges auf einer Mission ist, schaut er nicht nach rechts oder links, sondern nur auf das Ziel.

In der aktuellen Situation ist das leichter gesagt als getan. Vor allem, wenn man bedenkt, dass es genügen würde, irgendwo in Paris aufzutauchen, das erste Opfer, das auftaucht, zu fangen, es im Handumdrehen hierher zu schleppen und das sehr scharfe Messer zu bedienen, das ich immer bei mir trage. Mehr bräuchte es nicht. Fast mit der Zeit, es zu erzählen, fand ich mich von Angesicht zu Angesicht mit jemandem wieder, der im Begriff war, den Horror in seinem chemisch reinen Zustand zu erleben.

Alles wird kommen. Zu gegebener Zeit. Jetzt stehen wir vor der Tür unserer vorübergehenden Residenz.

Er richtete den Lichtstrahl seiner Taschenlampe auf den steinernen Türsturz, wo ein dunkelblaues Schild mit weißen Buchstaben stand, auf dem stand: *"Notre-Dame"*. Dann beleuchtete er die Stufen einer Treppe, die unten anfing.

Wenige Minuten später befand er sich in einer unterirdischen Krypta der Kathedrale. Und kurz darauf ging es an einem Seitenschiff entlang.

Da er es nicht eilig hatte und sein neues Heim in Augenschein nehmen musste, erreichte er den Chor und begann, nachdem dieser, hinter einer Säule verborgen, das Hauptschiff in seiner ganzen Tiefe und Höhe zu untersuchen begann.

Nur wenige Menschen hatten das Privileg, sie so zu betrachten, verlassen, fast im Dunkeln, nur mit dem warmen Heiligenschein von Votivkerzen und wenigen Glühbirnen in ihrem riesigen Kadaver.

Gott existiert nicht, sagte er sich. Zumindest nicht in dieser Welt. Er schickte seinen Sohn; Sie töteten ihn, und wir sehen, daß er zu sich selbst sagte: Nichts Göttliches wird auf das Antlitz der Erde herabkommen. Mögen sie für sich selbst sorgen, vorerst mit dem Teufel. So wandert nur der Teufel umher und herrscht in dieser Welt. Denn sonst könnte Gott, wenn er auch unter uns wäre, in einem seiner berühmtesten und berühmtesten Tempel nicht fehlen. Und wenn das der Fall war, wie konnte er es dann ertragen, dass ein verdammter Mann wie ich in seinem intimen Haus sein konnte? Und noch dazu alleine. Ohne einen einzigen Zeugen dessen, was er mit mir tun könnte, selbst wenn er wollte, die ungeheure Macht zu nutzen, die er hat, die in der Lage ist, das Universum zu vertreiben.

Er wandte sich einen Augenblick um, um beiläufig auf den Hochaltar zu blicken, aber bald waren seine Augen wieder in das Dunkel des Hintergrundes getaucht.

Ein paar Schritte hallten in der Ferne wider. Er sah noch nicht, wer sie gegeben hatte. Zu dieser Stunde konnte es, wie Bemoz gewarnt hatte, nur der Sakristan oder der Portier sein. Mit Ausnahme eines außergewöhnlichen Besuchs konnten Umstände, die nicht ausgeschlossen werden konnten. Jedenfalls habe er ihm, falls ihn jemand überraschen sollte, in Erwartung dieser Gefahren eine behördliche Genehmigung erteilt, die ausreichen sollte, um seine Anwesenheit außerhalb der Besuchszeiten zu rechtfertigen, obwohl es in diesem Fall erforderlich gewesen wäre, die Räumlichkeiten sofort zu verlassen. Eine solche Erlaubnis sollte nur im schlimmsten Fall genutzt werden. Es war besser, vorsichtig zu sein und sich von niemandem überraschen zu lassen.

Es ist der Sakristan, Bemoz zeigte mir Bilder von ihm. Er wird kommen, um seine letzte Inspektion des Tages durchzuführen. Wenn er wirklich alleine kommt, wird er mich nicht entdecken können.

So war Fabrice gekommen, um grünes Licht zu geben, bevor er nachts den Staffelstab der Verantwortung an den Portier weitergab. Er summte ein modisches Lied rund um die Pflanze. Er hatte etwas an sich, das den nyktalopen Raubvogel, der ihn mit größerer Begierde betrachtete, als ihm lieb war, sehr erbitterte. Sein tiefer Jagdinstinkt war gesteigert, das Tier in ihm begann zu schnurren und drohte jeden Augenblick zu brüllen.

Ich muss mich zurückhalten. Dieser Kerl wurde geboren, um in meine fachkundigen Hände zu fallen. Er bringt alle erforderlichen Eigenschaften mit. Dieses sardonische Lachen, diese Grimasse, die ihn nicht verlässt, auch wenn ein offizielles Foto gemacht wird, ist die glücklichste und vielversprechendste aller Präambeln.

Fabrice durchlief auch den ganzen Gang und ging dann weniger als einen Meter an seinem furchterregenden Raubtier vorbei, das seinen ganzen Willen mobilisieren musste, um nicht wie der schrecklichste Schatten auf ihn zu fallen, den der Engel des Todes je auf Erden geworfen hat.

Als der Sakristan, mit dem er gekommen war, verschwunden war, beendete auch der einzige Zeuge seines Gehens in jener Nacht, in der er gewiß zum zweiten Male geboren worden war, ohne es zu wissen, seinen Tag und stieg wie ein neuer Quasimodo in die Höhle, die Bemoz ihm unter dem Dache bereitet hatte. nicht weit von den Glocken entfernt.

VII

Alba Longa war gerade dabei, einen guten Rübenreis nach dem traditionellen Rezept seines Landes zuzubereiten, als das Handy klingelte. Er schaute auf den Bildschirm und sah, dass es Laure war.

-Hallo. Wie geht es dir?

- Ich habe die Kaserne.

-Wirklich? Nun, ich freue mich für dich, auch wenn ich nicht weiß, was es ist.

-Du wirst es wissen, wenn du damit einverstanden bist, es mit mir zu feiern.

-Ich nehme gerne an. Was schlagen Sie mir vor?

-Nun, um eine Mahlzeit in einem Restaurant in Antibes zu beginnen. Müssen Sie heute auch duschen?

-Natürlich.

-"Nun, fangen Sie jetzt an, denn in zwanzig Minuten werde ich vor Ihrem Haus anhalten, um Sie abzuholen.

-Es ist viel Zeit, um mehr als bereit zu sein.

-Nun, im Wasser läuft die Uhr.

-Ich gehe kopfüber los. Bis jetzt.

Alba legte die Utensilien zurück, die er bereits begonnen hatte, auf die Bank zu legen.

-Schade für den fluffigen Reis. Ein anderer Tag wird sein.

Als Laure mit ihrem prächtigen Cabrio ankam, wartete Alba bereits in der Tür auf sie.

Ich habe das Gefühl, dass die gute Nachricht plötzlich in dein Leben getreten ist.

- Das ist in der Tat richtig.

-Soll ich das Restaurant anrufen, um einen Tisch zu reservieren?

-Es ist vollbracht.

Das besagte Restaurant war kein Ort am Straßenrand für eine frugale und schnelle Mahlzeit. Der Butler begleitete sie auf eine

Terrasse mit Blick auf einen Pinienwald, von wo aus sie eine weite Aussicht auf das mediterrane Blau genossen.

Alba erhob theatralisch das Glas Weißwein.

Ich brenne vor Verlangen, den Grund zu erfahren, warum wir anstoßen werden.

»Für die Beförderung meines Mannes«, erwiderte Laure, indem sie ihr Glas mit dem Glas schüttelte, das Alba ihr anbot.

Dieser seinerseits stand da, als wäre er gerade nach einem Sprung gelandet.

-Wie? -Er schaffte es schließlich, auszurufen. –

Laure brach in Gelächter aus und trank zuerst.

Alba trank auch, aber er kam aus seinem Erstaunen nicht heraus. Dass Laure ihn auswählte, um die Beförderung ihres Mannes zu feiern, konnte er nicht verstehen. Abgesehen davon, dass er bezweifelte, dass sie sich nach einem Ereignis, das für den Ehemann glücklich sein könnte, freuen würde.

Sie ernannten ihn zum Generalsekretär des Justizministeriums. Auf direkte Anweisung des Ministers.

-Genau das...

Ja, aber das ist nur die Voraussetzung, aus der sich der eigentliche Grund unserer Feier ableitet.

Alba lächelte nicht, aber eine lächelnde Heiterkeit leuchtete in ihren Augen.

- Und Ihr Mann wird in Paris leben.

-In der Meile. Tausend Punkte für Sie.

Ich werde versuchen, sie mit Bedacht zu verwalten.

Es ist wahr, dass wir ihn von Zeit zu Zeit für ein Wochenende hier haben werden. Aber sporadisch.

Alba goss noch mehr Wein in beide Gläser und hob seinen.

-Für den ungeheuren Aufstieg deines Mannes.

Flüssiger Bernstein war von Laure ausgewählt worden. Es war ein *Gewürztraminer.*

"Damit er weiter aufsteigen kann, bis er den Himmel erreicht", fügte sie hinzu.

-Und ist Ihr glücklicher Ehemann schon in Paris?

- Heute Morgen hat er eilig das erste Flugzeug genommen.

Ich muss gestehen, dass ich, obwohl ich von Peters Ruf als Lehrer wusste, nicht wusste, dass er einen solchen Grad von Vortrefflichkeit besaß, um ihn einer solchen Stellung würdig zu machen.

-Moralisch ist es ein Quatsch. Aber akademisch ist er eine Autorität auf dem Gebiet der Ansprüche und des römischen Rechts sowie der Beziehungen zwischen Kirche und Staat.

Alba Longa lächelte, weil er dachte, dass er sicher nicht so ein Experte im Eherecht war.

VIII

Obwohl Fabrice in der Restaurierungswerkstatt nichts zu tun hatte, betrachtete er sich als Teil des Teams und besuchte es oft. Es ist wahr, dass die Titularmitglieder ihm einige Besorgungen anvertrauten, wie z.B. das Auffüllen der Ausrüstung, das Bringen von Erfrischungen, Utensilien, die sie nicht geplant hatten. Und in Abwesenheit von John Temple Graves fungierte er als Verbindungsmann zum Großen Batrachianer, der über alles auf dem Gelände der Kathedrale entscheidet, selbst über die unbedeutendsten Details.

Roxane fügte neckend einen weiteren Grund hinzu, um die Anwesenheit des Sakristans zu erklären:

- Hier ist eine Gruppe junger und frischer Frauen, bei denen er, da bin ich mir sicher, seine Kirchenrattenaugen zum Leuchten bringt. Er hat ja nicht abgestimmt. Sie ist säkular. Er muss sich nicht so sehr verstecken wie zum Beispiel Johannes, der leider Priester ist. Was für eine Idee, Priester zu werden, so ein Mann.

Sarah setzte sich mit Zeigefinger und Daumen die Brille auf die Nase.

-Sag mir nicht, dass du sie auf die Probe gestellt hast. Beide.

Sie haben bereits das Glück, dass wir an diesem heiligen Ort diskret in unserer Kleidung sein müssen. Zumindest diejenigen, die damit unser Brot verdienen müssen. Dass die Touristen sich häufig nicht damit anlegen und oft alle Grenzen überschreiten.

- Natürlich kann ich mir vorstellen, dass die meisten von denen, die eintreten, nicht einmal daran gedacht haben, den Besuch zu machen, sondern durch die Tür gegangen sind. Aber am Ende ist es ein Horror, beides zu provozieren, aus unterschiedlichen Gründen, je nach Fall.

Roxane stieß ein schallendes Lachen aus.

- Lass sie wütend werden. Lasst sie wenigstens die Macht spüren, die wir haben. Lasst sie verstehen, dass nicht der ganze Berg Majoran ist und dass wir hierher in diese Welt gekommen sind, um zu leiden.

- Ihr müsst das wissen, denn die Angehörigen der kirchlichen Zunft sagen es und wiederholen es zur Genüge.

-Nun, so leidest du auch und es ist ein guter Weg, um dir dein Paradies zu verdienen. Es gibt einige Dinge, die sie sehr gut beherrschen; Wenn das in diesem Fall nicht der Fall ist, nun, dann müssen wir gehen, wir müssen sie abhärten.

- Und wenn man den Kunstgriff der suggestiven Kleidung verwerfen will, wie haben Sie es dann geschafft, den irischen Marmor zu erhitzen?

-Wie auch immer, ich habe dir schon gesagt, dass John sehr diskret ist, aber trotzdem habe ich einen ziemlich expliziten Blick erwischt... Selten, versteht sich. Oh, es gibt unzählige Prozeduren...! Aber wir wollen die junge Clara nicht vor den Kopf stoßen...

Die junge Frau errötete leicht, schaffte es aber, zu antworten:

- Ich bin kein Schulmädchen mehr und du wirst mir nicht die Augen verbinden, um die Welt vor mir zu verbergen.

"Apropos König von Rom", rezitierte Sara fast singend, "seht ihn euch an, wie er sich dort abzeichnet.

Die beiden anderen wandten sich dem Eingang zu, und siehe da, Fabrice näherte sich mit seinem Wiesellächeln.

-Wir werden Ihnen eine Lektion darüber erteilen, wie diese Dinge gemacht werden.

Roxane zeigte ein Lächeln der Zahnpastawerbung in Komplizenschaft mit einem leicht anzüglichen Leuchten, das in ihren grauen Augen aufblitzte.

- Hallo, Fabrice. Du kommst an wie das Wasser des Mai.

-Oh wirklich?

-Ich denke schon. Hört zu, wir haben über Esmeraldas Geschichte gesprochen ...

– Wessen Schönheit nicht einmal die Hälfte der Ihrigen warten würde ... – beeilte sich Fabrice zu beeilt, ihm ein Kompliment zu machen.

- Danke, Fabrice. Tatsache ist, dass wir diese mysteriösen Ecken und Winkel unter dem Dach der Kathedrale sehen möchten, wo er sie einige Zeit lang versteckt hat.

-Es ist vollbracht.

Er griff in seine Jackentasche und zog einen purpurfarbenen Schlüssel heraus, den er wie einen Karfunkel zeigte, damit die drei ihn deutlich sehen konnten.

-Das rote Passepartout. Nur wenige haben das Privileg, es zu besitzen. Er öffnet alle Türen im Inneren der Kathedrale.

-Großartig! – rief Roxane und steckte den Pinsel zwischen ihre fleischigen Lippen, um Beifall zu klatschen.

Dabei verursachte sie ein leichtes Zittern in der großzügigen Wölbung ihrer Brust. Fabrices Augen funkelten.

-Worauf warten wir noch? – weinte sie.

Und sie ließ den Pinsel in dem Glas, das zu diesem Zweck auf einem der Tische stand. Als der Sakristan sie nicht erblickte, warf sie ihren Gefährten einen schelmischen Blick der Komplizenschaft zu.

»Ich kann nicht gehen«, sagte Clara. –

-Was meinst du? Wenn das hauptsächlich für Sie ist...

Roxane tat so, als sei sie verärgert.

- Das kann ich wirklich nicht. Ich habe diese Windel einfach weggeworfen und kann sie nicht trocknen lassen, ohne ihre Wirkung zu genießen.

-Verdammt!

Und an Fabrice gewandt:

-Du musst es ihm an einem anderen Tag zeigen. Alleine...

- Ich werde dies mit großer Freude tun. Wenn sie will...

-Noch ein Tag. Denn ich befinde mich jetzt in der kompliziertesten Phase dieser Arbeit.

Sie ließen sie allein vor ihrer Windel zurück und gingen auf den Fuß eines der beiden Türme zu. Bevor sie mit dem Aufstieg begann, schaffte es Roxane, Sarah zuerst klettern zu lassen, dann schlich sie sich an, so dass Fabrice ständig seine geschwungene Silhouette vor Augen hatte und vor allem eine gute Nahaufnahme seines üppigen Gesäßes sowie seiner Oberschenkel, die sie durch eine schnelle Bewegung, die darauf abzielte, den Rock anzuheben, mit so viel Verschleierung vor Augen hatte, dass es für die anderen beiden völlig unbemerkt blieb. die einfach nur wahrnahm, dass Roxane sich in eine andere Version ihrer selbst verwandelt hatte, die um einige Grade schärfer war. Fabrice war entzückt, und die Aufregung schien einer Zunge, die sonst schon sehr lebhaft war, Energie zu geben, und so begann er, alles, was er über die Kathedrale und über Victor Hugos Roman wußte, aus dem er viele Lesungen machen mußte, auf dem Fenster auszustellen.

"Hier", erklärte er, "scheint das berühmte griechische Wort ΑΝΑΓΚΗ eingeschrieben worden zu sein, von dem Victor Hugo zu dem fraglichen Roman inspiriert wurde.

Und er zitierte den wörtlichen Satz aus dem Buch:

- Der Mann, der dieses Wort auf diese Mauer geschrieben hat, ist vor einigen Jahrhunderten in der Mitte der Generationen verschwunden, das Wort wiederum ist von der Wand der Kirche verschwunden, die Kirche selbst wird vielleicht bald von der Erde verschwinden. Zu diesem Wort haben wir dieses Buch geschrieben.

Er zeigte ihnen die zerkratzte Oberfläche eines der Quader.

"Victor Hugo, sein Buch und Gott, oder wer auch immer, die ganze Schöpfung", sagte Sarah. – Seit wir auf die Welt gekommen sind, sind unsere Hände daran geklebt und bis zum letzten Tag unserer Anwesenheit auf Erden werden wir diese Melasse nicht loswerden.

»In der Tat,« fügte Fabrice hinzu, »wohin wir auch blicken, stoßen wir immer auf dieses Bedürfnis, das sehr oft dringend ist.

Roxane lächelte, denn sie wußte, wohin Fabrice in letzter Zeit mit hartnäckiger Beharrlichkeit gesucht hatte, und fühlte, worauf sich das Adjektiv »drückend« im Mund des Sakristans beziehen konnte. Sarah schnappte sich dieses Lächeln und verstand den Grund dafür, also lächelte sie ihrerseits. Fabrice dagegen hatte nichts begriffen, so begeistert war er in seiner Rolle als Führer der Kathedrale.

Als Nebenbemerkung zu Sarahs Ohr sagte Roxane:

- In der Tat müssen die Bedürfnisse der Armen unerläßlich sein.

Beide hielten sich den Mund zu, damit ihr Lachen von demjenigen, auf den sie sich mit einem solchen Grinsen bezogen, nicht gehört werden konnte.

Von dort aus machte sich Fabrice daran, die Namen und die Geschichte der Glocken zu enthüllen. Sie traten auf die Felsvorsprünge und betrachteten Paris aus der Tiefe. Sowie *Wasserspeier,* jene Monster und Teufel, die die Bauern des Mittelalters in Angst und Schrecken versetzten und noch heute Touristen belästigen. Dann gingen sie wieder hinein, um die Labyrinthe aus Holz zu besuchen, die zwischen den fast tausendjährigen Balken zirkulieren, die die Decke halten.

Roxane wollte alles sehen, vor allem die Flächen, die mit Lattenrosten erreichbar waren. So konnte Fabrice ihre Schenkel bis zur ersten Rundung des Gesäßes sehen und schätzte die verschleierten und kryptischen Bemerkungen, die sie machte, obwohl sie immer in gut gewürzten Anspielungen auf das köstliche Panorama mariniert waren, das er genoss.

Die beiden hübschen Mädchen ließen sich ganz auf die ihrer Meinung nach unschuldige Posse ein, die sie sich ausgedacht hatten, um die Eintönigkeit des Morgens zu lindern, indem sie die Aufregung des Sakristans ausnutzten und sich oft bereit erklärten, trotz allem ihr singendes Lachen zu entfesseln. Was sie nicht wussten, war, dass andere Augen blutunterlaufen sie alle drei im Dunkeln beobachteten.

Allmählich näherten sie sich unbewusst dem Versteck der Bestie und drängten sie unwillkürlich in die Enge. Sie befanden sich unter dem Dach der Kathedrale und die Dunkelheit war fast total.

- Was sind das für drei Türen da draußen? Roxane wollte es wissen. – Vielleicht bergen sie ein mysteriöses Geheimnis.

»Nun, wenn das der Fall ist«, erwiderte Fabrice süffisant, »werden wir es bald erfahren.

Mit diesen Worten zeigte er ihnen seinen nagelneuen roten Pass. Dann steckte er es theatralisch in das Schloss. Die Tür öffnete sich jedoch nicht. Ein anderer, stärkerer Wille hielt sie mit einer Hand auf der anderen Seite des Brettes, während sie mit der anderen ein seltsames Messer schwang.

»Die merkwürdige Tatsache ist, daß sich der Schlüssel dreht«, sagte Fabrice. – Aber die Tür geht nicht auf.

Er forcierte mehr, ohne es auch nur ein Jota bewegen zu können.

-Ich dachte, der rote Schlüssel öffnete alles... Kurz gesagt, wenn sich herausstellt, dass sich die Kathedrale im Bau befindet, werden die Unternehmen, die sie herstellen, darum gebeten haben, diese Schlösser zu modifizieren. Im Inneren kann es sein, dass sich Geräte für die Elektroinstallation oder ähnliches befinden...

"Wahrscheinlich", gab Sarah zu. "Egal, lass uns den Besuch fortsetzen, Fabrice. Dieser Trick mit dem mysteriösen Geheimnis wurde von Roxane zum Lachen gebracht.

"Nein, nein", antwortete sie. – Ich bin mir sicher, dass sich darin das Versteck eines mächtigen Magiers befindet, voller Grimoires, mit den Sätzen, mit denen man die Welt in Aufruhr versetzen könnte, wenn man wollte.

Aber sie sagte es mit einem Lachen, das Sarahs Erklärung nur bestätigte. Sie setzten ihren fröhlichen und etwas pikanten Besuch fort.

IX

Monsignore Batrachian, Maurice de Sully, Erzpriester und Rektor, sprach.

Die Ehrwürdige Institution hat uns mit der Aufgabe betraut, eine objektive und unparteiische Analyse der neuen Situation vorzunehmen, die sich in diesem Land abzeichnet. Die Angemessenheit der anzuwendenden Politik wird von der Relevanz unserer Schlussfolgerungen abhängen, und es besteht kein Zweifel daran, dass dringender Handlungsbedarf besteht. Wenn möglich, sofort. In der Tat befindet sich Frankreich wieder einmal im Epizentrum eines globalen Strudels, und von dort aus breitet sich die Schockwelle mit beispielloser Geschwindigkeit über die ganze Welt aus. Wir wissen, dass heute ideologische und soziale Phänomene dank der neuen Kommunikationstechnologien unmittelbare Auswirkungen haben. Ich schlage vor, dass wir mit dem Aufbau der Reflexion durch Grundlagen, d.h. durch Ursachen, beginnen.

Jean le Fay, Generalvikar, schrieb etwas in sein elegantes Notizbuch, bevor er seinen Montblanc auf den Tisch legte.

"Wir wissen", sagte dieser nach einigen Sekunden des Nachdenkens, "dass weder wir noch irgendeine andere Organisation, die in die heilige Mutter Kirche integriert ist, am Ursprung einer solchen Bewegung stehen. Die Frage ist nun, ob das Gleiche von dem eingefleischten Widersacher gepredigt werden kann oder nicht. Wir alle wissen, dass sich solche Mutmaßungen immer als eine gewaltige Aufgabe erwiesen haben. Selbst in Fällen, in denen uns die Beweise ins Auge zu springen schienen, hält die Realität zu gegebener Zeit große Überraschungen für uns bereit.

"Seit mehr als zweihundert Jahren", antwortete Bischof Robert de Vaucluse, "haben wir in diesem Land nicht aufgehört, an Boden zu verlieren, weil ihre Strategie, die immer überraschend, ungewöhnlich, aber immer kohärent war, uns keine andere Wahl gelassen hat, als uns zu verteidigen. Meiner Meinung nach ist das der Fall, weil wir an den alten Methoden der Verunglimpfung und Entschuldigung festgehalten haben. Auch die zugrundeliegende Kraft natürlich, das Netzwerk der Einflüsse und die Macht des Geldes, die wir Gott sei Dank auch haben, im Moment. Aber es muss anerkannt werden, dass ihre Praxis viel einfallsreicher war. Und bösartig... Sie verteidigen oder widerlegen nicht. Sie pervertieren heimlich und vor allem anonym, da sie die Phantasie hatten, neue Institutionen zu schaffen, scheinbar philanthropische, manchmal echte Geheimorganisationen, deren eigentliches Ziel es aber ist, diese Arbeit der Untergrabung durchzuführen. Sie verstehen es, gute Gründe, auch edle, zu erkennen, um ihre perverse Anwendung zu finden, immer zum Nutzen ihrer Interessen und ihrer Besonderheit. Ihre Schilde sind undurchdringlich, weil sie aus schönen und edlen Grundsätzen gemacht sind, die offensichtlich nicht dazu bestimmt sind, angewandt zu werden, sondern ihre unaussprechlichen Manöver zu verbergen. Hier ist die methodische Neuheit und der Grund für ihren Erfolg. Eine erniedrigte und verwirrte Bevölkerung ist bereits eine Sklavenbevölkerung, besonders wenn alles, was sie ansieht und liest, von geschickter Hand verfasst und geleitet wurde. Sie sind jedoch nicht diejenigen, die hinter dieser Bewegung stehen. Es ist nur allzu offensichtlich, dass dies ihren Interessen zuwiderläuft.

- "Wie Monsignore le Fay geschickt angedeutet hat", erwiderte Alfred de la Boutière, Zeremonienmeister des Ordens der Ritter vom Heiligen Grab, "selbst als die Beweise offensichtlich schienen, nahmen wir den Deckel ab und sahen, dass sie da waren.

»Ich glaube nicht, daß das jetzt der Fall ist«, beharrte de Vaucluse. – Der Eintopf war gekocht. Alles, was noch übrig blieb, war, das Brot zu brechen und darin zu tunken.

- Und als das Feuer am meisten brannte, goss jemand Wasser – schließt Bischof Batrachian. –

»Das ist richtig«, gab Vaucluse zu. –

Le Fay machte sich Notizen, gekleidet in die phlegmatische und konzentrierte Haltung, die ihn auszeichnet. De la Boutière sah ihn noch einmal sprechen:

- In diesem Fall wäre es am genauesten und klügsten, zwei verschiedene Analysen aneinanderzureihen, eine nach jedem hier genannten Gesichtspunkt, da es immer notwendig ist, einen Plan B und sogar mindestens C zu haben. Ich schlage also vor, dass wir mit dem Einfachsten beginnen. Nämlich, dass es sich um eine spontane Reaktion des Volkes handelt. Verspätet, aber spontan und natürlich, angesichts der offensichtlichen wirtschaftlichen, mentalen und moralischen Plünderung der Massen. Der Schleier ist gefallen, aufgrund eines harmlosen Umstandes, einer weiteren Kraftstoffsteuer, und eins zum anderen haben die Menschen entdeckt, dass die Demokratie, in der sie zu leben glaubten, eine Mystifikation und eine Maskerade ist. Und dass die herrschende Plutokratie, egal welche Partei die Wahlen gewinnt, an denen übrigens fast niemand mehr teilnimmt, nur noch Maßnahmen zu ihrem eigenen Vorteil diktiert, die auch von der Basis der Pyramide bezahlt werden, die zum Beispiel das Auto benutzt. Es gibt viele Anzeichen dafür, dass dieses Bewusstsein weit verbreitet ist. Wenn wir also eine solche Arbeitshypothese akzeptieren, ist die große Frage, wie diese Plutokratie reagieren wird. Oder anders gefragt: Wie wird der eingefleischte Widersacher reagieren?

"Im Moment", so der Bischof, "hat er mit einer Repression reagiert, die in einem Land, das sich rühmt, die Wiege der Demokratie zu sein, selten vorkommt. Von der Spitze des Staates aus wird die Bevölkerung eindeutig terrorisiert, damit sie nicht demonstriert. Das ist der wahre Zweck so vieler Verstümmelungen. Das ist überhaupt kein menschliches Versagen. Die Waffen, die sie benutzen, sind chirurgisch präzise. Und sie richten sie nach oben, in Richtung Gesicht.

Es ist jedoch offensichtlich, dass eine solche Strategie nicht funktioniert. Jeden Samstag sind in ganz Frankreich mehr Demonstranten auf den Straßen.

Vielmehr waren es die Augen des Großen Batrachianers, die auf den Tisch zu springen drohten.

Die Gewerkschaften hätten die Kontrolle über die Forderungen der Arbeiter verloren. Aber mit den Gewerkschaften konnte man verhandeln. Mit der menschlichen Flut, nein. Sie ist kopflos. Darüber hinaus gibt die Regierung, wenn dieser Name immer noch verwendet werden kann, um einen solchen Haufen von Inkompetenten zu bezeichnen, nicht nur die Rentenreform nicht auf, sondern wird in dieser Frage zunehmend unnachgiebig. Und das gerade jetzt zu tun, ist eine echte Provokation.

"Es ist normal, dass sie so reagieren", sagte Le Fay. Sie glaubten, dass die Geschichte mit dem Großbuchstaben vorbei sei, von dem Moment an, als sie beschlossen, die kommunistischen Parteien loszuwerden. Jetzt halten sie es für eine echte Verschwendung, Steuern zahlen zu müssen, wie der Sohn eines Nachbarn. Vielmehr besteht ihr Zweck darin, den Staat auf die Mindest- und Minimalbeträge zu reduzieren, die von der Basis der sozialen Pyramide gezahlt werden. Was ich nicht weiß, ist, wie wir in der Lage sein werden, zum Beispiel auf eine allgemeine Katastrophe zu reagieren, auf einen Notfall, der eine außergewöhnliche Mobilisierung aller Ressourcen der Nation erfordert. Aber die Wahrheit ist, dass dies ihre geringste Sorge sein muss.

"Sie werden die Gewerkschaften dazu bringen, mit den Gelbwesten zu fusionieren", fügte der Bischof hinzu. – In einem solchen Fall werden die Gewerkschaften jedoch ihrer Verhandlungsmacht beraubt.

»Es ist vollbracht«, sagte Le Fay. – Die Grundlagen der beiden Bewegungen sind im Wesentlichen die gleichen, plus alle anderen...

- Dann ist es die Revolution! -rief der Batrachianer.

Der Generalvikar hielt es für angebracht, Folgendes zu präzisieren:

Im Moment befinden wir uns in einer vorrevolutionären Phase. Und auch in diesem Augenblick machen sie die gleichen Fehler, die wir gemacht haben, als die Revolutionäre sie waren. Aber ich glaube nicht, dass sie das noch lange tun werden. Wie Bischof de Vaucluse zu Recht bemerkt hat, ist ihre Praxis im Allgemeinen von viel Phantasie geprägt.

- Also, was können wir erwarten? In einen dritten Weltkrieg? -donnerte wieder der große Batrachianer. -

»Meiner Meinung nach«, erwiderte Le Fay, »wird die Antwort allmählich erfolgen, da die Situation nicht dieselbe ist wie 1939 oder 1914. Auch hier ist Monseigneur de Vaucluse richtig, man brauchte nur das Brot zu brechen und es darin zu tunken. Alles war gefesselt und gut befestigt. Das Gebäude ist neu gebaut. Es ist ein brandneues und großartiges Gebäude. Sie werden ihr Bestes tun, um es nicht zu zerstören. Wenn sie es jedoch für notwendig hielten, würden sie keine Sekunde zögern, dies zu tun, wie es bei anderen Gelegenheiten geschehen ist.

- Was ist mit uns? "Was sollen wir tun, die Arme verschränken und warten?"

»Wir,« erwiderte Le Fay, »müssen zuerst unseren inneren Krieg gewinnen. Wenn wir es jemals schaffen, das Ruder der Kirche zu übernehmen, werden wir vielleicht in der Lage sein, den Sturm zu überstehen.

- Und in der Zwischenzeit?

In der Zwischenzeit werden wir als Soldaten Christi, die wir sind, kämpfen. Obwohl wir keine besseren Ergebnisse erwarten können als bei den letzten Wahlen. Im gegenwärtigen Moment, dem Wesentlichen, nahmen sie alles. Es wird mehrere Jahrzehnte dauern, bis die jüngsten Maßnahmen, die wir ergriffen haben, Wirkung zeigen.

De la Boutière gab nicht auf :

Was geschieht, ist ein echtes soziales Erdbeben auf globaler Ebene. Eine außergewöhnliche Situation erfordert außergewöhnliche Maßnahmen, etwa indem die langfristige Strategie vorübergehend außer Kraft gesetzt wird.

Le Fay lächelte rätselhaft, als er seinen luxuriösen Stift hervorholte und etwas in sein Notizbuch kritzelte.

-Jetzt nicht. Nicht in diesem Fall. Lasst uns nicht unsere Schiffe schicken, um gegen die Elemente zu kämpfen. Lasst die tellurischen Kräfte wirken. Dann werden wir, wie immer, seine Auswirkungen für unsere Zwecke nutzen. Lasst sie es erfinden, lasst sie die Trümpfe ausspielen, denn sie sind es, die bedroht sind. Wer weiß, ob sie sich nicht mit ihrem eigenen Hammer auf die Finger schlagen?

Monsignore de Sully, der große Batrachianer, ließ seine riesigen Augäpfel über seine gesamte Zuhörerschaft schweifen und fuhr in dem Glauben, dass die Zeit gekommen sei, seine Theorie der universalen spirituellen Erneuerung zu lancieren, folgendermaßen fort:

Ich stimme mit der Idee des Generalvikars, Erzbischof Le Fay, überein, dass wir zuerst unseren internen Krieg gewinnen müssen. Nun, das kann man nicht mit Waffen machen, ich meine konventionelle Waffen in einem Krieg, zum Beispiel im Grabenkrieg. Was getan werden muss, ist die Erklärung eines ideologischen Weltkriegs. Und unsere Ideologie ist Spiritualität. Andererseits glaube ich, dass gerade jetzt diese tellurische Bewegung ausgelöst werden muss.

Es schien Le Fays These vom Sehen und Warten direkt zu widersprechen, und so antwortete er:

- Und warum gerade jetzt?

- Gerade weil ich Ihnen zustimme: Wenn sie erfinden, liegt es an ihnen, es zu tun. Darüber hinaus glaube ich, dass sie keine andere Wahl haben, als zu erfinden, und ich erinnere Sie daran, dass sie bisher recht erfolgreich waren. Ich mache mir große Sorgen, dass die Reaktion, wie auch immer sie ausfallen mag, dieses Mal übertrieben ausfallen wird. Mit ihr mögen sie sich selbst in die Finger klatschen oder auch nicht, aber sie wird donnern. Natürlich werden sie jetzt darüber nachdenken, die Möbel zu retten, aber da die Möglichkeit besteht, dass die Flut sie wegspült, werden sie bereits über einen Plan B und vielleicht auch einen Plan C meditieren. Ich wünschte, ich hätte mich geirrt, aber ich fürchte, wenn sie Plan B anwenden würden, wäre es ein Blitz. Und es wäre umso mehr, wenn sie keine andere Wahl hätten, als auf Plan

C zurückzugreifen. Was ich vorschlage, ist, einen eigenen Plan C zu haben, für den Fall, dass sie diesen Buchstaben erreichen. Aber das wird mit der Zeit vorbereitet. Mit anderen Worten: Wir müssen jetzt damit beginnen. Denn sie haben sicher auch angefangen.

Mauricio de Sully blieb stehen, um mit diesen Augen, denen nichts zu entgehen schien, die Reaktionen der Anwesenden zu beobachten. Ein Teil hatte Speichel geschluckt, der andere war betäubt zurückgeblieben.

Was mir vorschwebt, ist ein universelles Psychodrama, das dem des Ersten Kreuzzugs entspricht. Jemand hat gesagt, dass das 21. Jahrhundert spirituell sein wird, oder auch nicht. Nun, lasst uns dem Ganzen einen riesigen, gewaltigen Schub geben, damit es so ist. Ideologisch sind wir vorbereitet.

Der Generalvikar richtete seinen Montblanc auf ihn.

Ein Kreuzzug wird nicht von irgendjemandem ausgerufen. Diejenigen von uns hier wissen alle, wer den Ersten Kreuzzug ausgerufen hat...

»Genau«, sagte de Sully. –

-Das bedeutet, dass...

- Dass dieser Papst beseitigt werden muss. Oder zumindest aus dem Spiel genommen.

X

Clara war sehr zufrieden mit ihrer Arbeit. Sie betrachtete ihn aus allen Entfernungen und aus allen Winkeln. Schließlich zog sie ihre Arbeitsbluse aus und warf sie auf die Lehne eines Stuhls. Sie atmete tief durch und betrachtete immer noch die restaurierte Oberfläche. Es war zu spät, um eine neue Aufgabe zu beginnen, und zu früh, um die Kathedrale zu verlassen, obwohl seine beiden Kameraden und Fabrice, nachdem sie ihren Besuch im oberen Teil des Gebäudes beendet hatten, dies getan hatten und sich zu diesem Zeitpunkt im örtlichen Café befanden, um etwas zu trinken.

Die Wahrheit ist, dass sie die Idee, die Dächer von *Notre-Dame zu betrachten, attraktiv fand,* wenn auch nicht bei denen, die sie vorgeschlagen hatten, sondern allein. Er war noch nicht für Witze zu haben. Außerdem erzeugte Fabrice in ihr das gleiche Unbehagen wie der Anblick eines Reptils, besonders solche mit schleimiger und kalter Haut, wie Schlangen. Sie mochte ihm gegenüber unfair gewesen sein, aber sie hatte damals nicht genug Energie, um auf dieser Ebene zu entscheiden, was richtig oder falsch war. Sie zog es vor, es für später aufzuheben.

Als sie den Gipfel erreichte, endete die letzte Tour des Tages und die Touristen bereiteten sich auf den Abstieg vor. Nach und nach verstummte ihr Flüstern. Clara blieb allein, eingehüllt in die mittelalterliche Dunkelheit, die von den riesigen und stillen Strahlen des Ahnenwaldes durchzogen wurde. Der Tag neigte sich dem Ende zu. Sie konnte nicht lange in diesen dunklen Korridoren umherirren. Sie ging hinaus auf das Gesims des Daches. Das goldene Bild von Paris mit der Dämmerung im Hintergrund beeindruckte sie. Die Wasserspeier sahen sie genauso fasziniert an, wie sie war. Eine Asymmetrie, eine Unregelmäßigkeit beunruhigte sie sofort. Aber es gab keinen Grund, sich zu wundern, die ganze gotische Kunst ist diese Unregelmäßigkeit, die Überraschung, die überschwängliche Natur, die üppige Blüte des unbändigen Scharfsinns. Was ist das, fragte sie sich. Zwei Wasserspeier zusammen, zwei steinerne Dämonen, die die dicht gedrängte Masse pulsierender Behausungen unter dem Schmelztiegel des Sonnenuntergangs betrachten, Schulter an Schulter, Händchen haltend... Aber es waren nicht zwei Wasserspeier, zwei Dämonen, ja, der eine aus Stein und der andere aus Hass, gekleidet in Materie wie Fleisch. Clara blieb verzaubert, wie die Beute gelähmt ist durch den absoluten und unvermischten Schrecken, der von einem unfehlbaren Raubtier ausgeht. Dieser deformierte Körper, obwohl er durch die Kraft und Stärke, die er in sich birgt, furchterregend war, dieser im Vergleich zu den übermäßigen unteren Gliedmaßen geschrumpfte Rumpf, war der wiederkehrende Bewohner all ihrer Albträume. Da war er in Wirklichkeit ein paar Stufen tiefer, aber so regungslos und furchteinflößend wie das steinerne Ungeheuer, das ihn flankierte. Hätte er sie kommen sehen? Wusste er, dass sie da war? Sie trat einen Schritt zurück, und diese Verirrung, diese Chimäre bewegte sich nicht. Claras Körper schien in der Luft zu schweben. Vielleicht war das der Grund, warum sie keinen Laut machte. Noch zwei Schritte und sie sah ihn nicht mehr. Sie zog ihre Schuhe aus, um nicht das geringste Geräusch zu hören. Jeder Schritt, den sie auf die Treppe zumachte, war ein Wunder. Sie entfernte sich vom Spektrum. Sie lebte noch. Sie konnte es nicht glauben. Ohne Angst, sich die Füße am Granitstein zu verletzen, raste sie davon. Sie ging geradewegs in den Raum, in dem sich die Meisterrestauratoren zu treffen pflegten. Es war niemand da. Sein Herz klopfte wie ein Schlag. Als sie diese höllische Kreatur das letzte Mal sah, hatte er eine Kugel in der Brust und eine weitere zwischen seinen beiden Augenbrauen. Wie ist es möglich, das zu überleben?

Als sie sich ein wenig beruhigt hatte, tauchten andere Fragen auf: Was genau machte er dort, in der Kathedrale, in Paris, so nah bei ihr? Wusste er, dass sie dort arbeitete? War er ihr gefolgt? Will er Rache? Sie wußte sehr wohl, daß Ergaster die Sorgfalt eines Uhrmachers der Grausamkeit besaß. Seine Rache wäre eine komplizierte und exakte

Maschinerie des Schmerzes, die auf dem längsten Weg zum Tod führen würde, indem sie Leid und Schrecken ausbalancieren würde, während sie das Leben so aufrechterhält, dass es den Höhepunkt der Panik erreicht und dort bleibt, bis der Tod der erhabenste und unaussprechlichste aller Träume ist. Ihre Opfer fallen erst dann in Ohnmacht, wenn sie den Kelch des Schreckens und des Leidens bis auf den letzten Tropfen ausgetrunken haben.

Es war spät, es war notwendig, dieses Universum zu verlassen, das in der Lage war, sowohl das Heiligste als auch das Teuflischste des Universums zu beherbergen.

Sie verließ das primitive und beunruhigende Gebäude auf der gegenüberliegenden Seite, wo es immer noch diese Art von Troll einer Ahnenlegende geben konnte, in der sich die Götter mit den Dämonen vermischten und eine ferne und archaische Vision der Welt bildeten, die in tellurischer Grausamkeit versank.

Von Zeit zu Zeit drehte sie sich um, um sicherzugehen, dass sie nicht verfolgt wurde. Natürlich hätte eine so merkwürdige, unregelmäßige und untypische Gestalt nicht nur seine Aufmerksamkeit, sondern auch die von ganz Paris auf sich gezogen. Er folgt ihr nicht, dachte sie, als sie bereits auf einer Bank in der U-Bahn-Station saß. Vielleicht folgt er ihr auch deshalb nicht, weil er bereits weiß, wo sie wohnt. Was wäre, wenn die apokalyptische Vision von heute Nachmittag nur inszeniert gewesen wäre? Aber warum sollte er das tun? Warum sollte man sie auf seine Anwesenheit aufmerksam machen? Der Sperber schwebt nur über der Taube, wenn er überrascht wird, und sei es nur, um Mühe zu sparen. Obwohl von einem so perversen Geist wie diesem alles erwartet werden kann.

Wieder einmal fragte sie sich, wie es möglich war, zwei Verletzungen, wie sie ihm zugefügt wurden, zu überleben. Und wenn dem so ist, wie kommt es, dass die Justiz so schnell darauf verzichtet hat, ihn für das, was er getan hat, zur Rechenschaft zu ziehen? Es ist offensichtlich, dass ein Kerl, der eine solche Dosis Gefahr in sich trägt, nicht frei sein kann. Der Schuss zwischen den beiden Augenbrauen muss die Schädelbasis gebrochen haben. Andererseits, wie kann man jeden Tag zur Arbeit in die Kathedrale gehen, wenn man weiß, dass er da ist?

Sie betrat ihre Wohnung, schob das Schloss ganz auf, legte sich auf das Sofa und starrte an die Decke.

XI

Hier sind sie, zusammengehäuft, beladen, in Losen, in Herden. Grüne, rote, orangefarbene Lichter sammeln sie ein, markieren eine Quote für die Herde, treiben sie an, drehen das Rad. Zu Fuß oder mit dem Auto ist es dasselbe, der Fluss wird gestoppt, das Paket wird befüllt, verpackt und versendet. Sie rennen wie Ratten, zögern, schnüffeln, rücken vor, ziehen sich zurück, die Maschinerie der Stadt macht Kugeln und schickt sie dorthin, wo sie will, nicht dorthin, wo sie hinwollen. Jeder ist von seinem unveräußerlichen Recht überzeugt, sich zu bereichern, das Meer mit Eimern zu leeren, das Wasser in ein Loch zu geben, das in den Sand gegraben wurde, den sie ihr Privateigentum nennen." Sie rennen wie Ratten, schnüffeln, zweifeln und bewegen sich vorwärts. Aber die Stadt stellt ihre Pakete her und verschickt sie dorthin, wo sie will, wo Fleisch gebraucht wird, um die Lücken zu füllen. Es sieht aus, als hätten sie es eilig, sie verderben den majestätischen Sonnenuntergang, golden und erhaben, mit ihren gereizten Hörnern. Keiner von ihnen sieht es. Der Eindruck bleibt in den Augen und bewegt sich nicht vorwärts. Ihr Verstand ist völlig beschäftigt, absorbiert und sucht nach einer Lösung für das Dilemma, wie sie ihr unveräußerliches Recht, reich zu werden, ausüben können. Wenn die Sonne vollständig untergegangen ist, wird jeder von ihnen in einer Zelle dieses riesigen Bienenstocks sitzen und sich von Gift und Propaganda vor einem Fernseher ernähren, der ihnen erklärt, wie sie sich kleiden, wie sie ihre Haare kämmen und wie sie wählen sollen, gerade um nicht reich zu werden, denn, Bei den wenigen Reichen, die es gibt, ist das mehr als genug. Und sie schlucken alles herunter und ignorieren beharrlich den immensen Schaden, den sie sich gegenseitig mit ihrer Faulheit zufügen. Wenn sie von all dem Gift satt haben, das sie nährt, gibt es keinen Zweifel, dass sie einschlafen, denn am nächsten Tag wird es eine Neuauflage der gleichen sein, der gleichen Bilder, der gleichen Reiseroute, der gleichen Menschen, der gleichen Abfolge von

Formeln, die keine Gespräche führen, alles zu gegebener Zeit, weder vorher noch nachher. Grüne, rote, orangefarbene Lichter sammeln sie ein, markieren eine Quote für die Herde, treiben sie an, drehen das Rad. Sie erwecken nicht ein Quäntchen Mitgefühl. Sie bekommen, was sie verdienen. Wenn einer von ihnen in meine Hände fiele, dann wüssten sie, wie es ist, zu leben. Zum ersten Mal würde er sein Leben wahrhaftig und intensiv leben. Bevor er freudig und feierlich in seinen Tod eintrat, als lauschte er dem Hochzeitsmarsch, der ihm zu Ehren von den Cherubim des Himmels vollzogen wurde.

Es gibt nur Schönheit in der Natur, die uns bei jedem Sonnenuntergang ein anderes Feuer bietet, eine besondere und unersetzliche Kombination aus Gold und Ocker, Tausende von Formeln für unmittelbare visuelle Weisheit. Nicht im Menschen, seit er beschlossen hat, sich selbst zu machen. Es fehlt an Reinheit. Die Reinheit des Guten und die Reinheit des Bösen. Gott hingegen ist allmächtig, was bedeutet, dass er reine Macht für das Gute und reine Macht für das Böse besitzt. Der ganze Umfang der Macht. Der totale Power-Apfel.

XII

Clara hatte eine schlaflose Nacht und einen mittelmäßigen Samstagmorgen hinter sich. Sie konnte die teuflische Vision nicht loswerden, die sie verfolgte, von der sie besessen war, die ihre Nerven und ihren körperlichen Widerstand schon so sehr strapaziert hatte, dass sie sie in einem Zustand der Niedergeschlagenheit und Unbeholfenheit zurückgelassen hatte, aus dem sie trotz aller Bemühungen nicht herauskam. Es hätte ihr gut getan, frische Luft zu schnappen, umherzuspazieren und den herrlichen Frühlingstag zu genießen, der auf der Straße aufgeblüht war, aber es war der Tag, an dem sich der soziale Zorn eines Landes, das seine Führer keine Sekunde länger ertragen konnte, unfehlbar manifestierte. Einige Male hatte sie schon den Mut aufgebracht, an diesen Demonstrationen teilzunehmen, zumindest durch ihre Anwesenheit, aber diesmal konnte sie es nicht. Sie legte sich auf die Couch und versuchte nachzudenken. Was ist zu tun? Aber sobald sie die Augen schloß, erschien ihr der Wasserspeier *von Notre-Dame* mit der brennenden Dämmerung von Paris im Hintergrund. Sie atmete tief durch und versuchte, eine erste, wenn auch kurze und provisorische Erklärung für die neue Situation zu finden, die wie eine Marmorplatte auf sie fiel. Drei Jahre nach den schrecklichen Ereignissen von Nizza, die im Tod ihres Großvaters gipfelten, stellt sich die Frage, welche Verkettung von Ursachen und Wirkungen zu dieser unglaublichen Begegnung in *Notre-Dame de Paris mit diesem Monster geführt haben könnte,* das im Begriff war, sie und Alba auf die schrecklichste Art und Weise zu ermorden, die man sich vorstellen kann? Zweifellos tauchten in seinen Gedanken viele Grauzonen auf. Aber ein starker Gedanke machte sich immer noch auf den Weg: Er kam, sobald es möglich war, um Rache zu nehmen, um das Werk zu vollenden, das er vor drei Jahren unvollendet gelassen hatte.

Ohne es zu wissen, hatte sie Alba in diese finstere und gefährliche Affäre verwickelt. Habe ich das Recht, ihn noch einmal um Hilfe zu bitten?

Vielleicht, dachte sie. Ein vollständig restaurierter Ergaster mit völliger Bewegungsfreiheit war auch für ihn und für alle, die an den Veranstaltungen teilgenommen haben, eine Bedrohung.

Dieses Argument lieferte ihr eine rationale Rechtfertigung für das, was psychologisch notwendig geworden war. Sie nahm ihr Handy in die Hand, befürchtete aber, dass der wachsende Tumult auf der Straße das Telefongespräch nicht stören würde. Sie schaute aus dem Fenster und sah, dass die Polizei die Demonstranten blockierte. Wahrscheinlich wollten sie diese reale menschliche Flut schwächen, indem sie sie fragmentierten. Ihre furchtbaren Waffen, die LBD-Gewehre, die Gummigeschosse abfeuern, waren nach oben gerichtet, auf die Gesichter, was ihnen strengstens verboten ist, aber sie waren zweifellos von der Überlegenheit angewiesen worden, auf diese Weise vorzugehen. Diese Revolution muss auf jeden Fall gestoppt werden, müssen sie sich sagen, sonst bricht ihre Welt zusammen, die der Elite, die regiert, und die der Spitze der sozialen Pyramide, die Geschäfte macht und die Finanzen bewegt. Das Wasser stagnierte am Fuße seiner Wohnung.

Sie ging in die Küche, deren Fenster auf einen Innenhof hinausging, schloss die Tür, öffnete ihre Kontaktliste, und Alba stand an erster Stelle. Nachdem sie einen Moment gezögert hatte, legte sie die Spitze ihres Zeigefingers auf ihn.

- Hallo, Clara. Wie geht es Ihnen in Paris?

Allein durch das Hören dieser Stimme hatte sie das Gefühl, dass sie einen Teil ihres Selbstvertrauens zurückgewonnen hatte.

-Etwas Unglaubliches ist passiert...

-"Unglaublich, sagst du?" Lass mich raten... Hat einer der Heiligen, die Ihr wiederherstellt, zu Euch gesprochen, um Euch für sein neues Aussehen zu danken?

"Ich habe Angst, Alba.

-Siehe. Erklären Sie mir den Grund.

- Ergaster, er ist da. Und ich bin überzeugt, dass er mich stalkt.

- Ergaster? Wie ist das möglich? Ergaster ist tot.

- Offensichtlich nicht.

Am anderen Ende der Leitung herrschte Stille.

- Bist du sicher, dass er es ist? »

- Kann Ergaster mit einem anderen Wesen dieser oder jener Welt verwechselt werden?

-Erzählen Sie mir im Detail, was passiert ist.

Clara tat es.

- Ich gehe sofort.

- So viel wollte ich dich auch nicht fragen.

Bei Ergaster ist das Problem nicht, dass es gefährlich ist. Ergaster ist die Gefahr selbst. Als erste Disposition buche ich sofort das Ticket. Aber bevor ich gehe, möchte ich mit Inspektor Tynianov sprechen. Verlassen Sie in der Zwischenzeit das Haus überhaupt nicht und blockieren Sie alle Schlösser. Ich rufe Sie an, wenn ich weiß, wann ich ankomme.

- Es tut mir leid, dass ich dir so viele Unannehmlichkeiten bereite.

-Das ist überhaupt kein Problem. Es ist ein Alarmzustand.

Als sie auflegte, fühlte sich Clara etwas ruhiger. Nicht nur Alba, sondern auch Tynianov muss Bescheid gewusst haben.

Draußen artete die Demonstration wie üblich in etwas aus, das an einen urbanen Guerillakrieg grenzte. Sie öffnete die Küchentür und das Geschrei nahm an Ton zu. Sie warf einen Blick aus dem Fenster und sah, dass die ersten Feuer bereits brannten und dass die Polizei anstürmte und sich zurückzog, dass Fenster in der Luft explodierten und dass vermummte Männer in den zerstörten Räumlichkeiten ein- und ausgingen. Nichts weiter als die übliche Show jeden Samstag.

Sie nahm ein Buch und versuchte, in der Küche zu lesen. Trotz des Tumults und des Bildes von Ergaster, das sie aus allen Blickwinkeln ihres Bewusstseins verfolgte, gelang es ihr, sich auf den Faden der Geschichte zu konzentrieren, die ihr vorgeschlagen wurde.

Schon zwischen zwei Lichtern fühlte sie sich müde und schloss es. Der Aufruhr hielt in dieser Zeit an. Von dort aus konnte sie es hören. Sie ging hin, um zu sehen, wie die Dinge auf der Straße vor sich gingen.

Diesmal traute sie sich, für eine Weile auf den Balkon zu gehen. In beide Richtungen war die Straße übersät mit Feuern aus verschiedenen Materialien, von Baustellen abgerissenen Holzplatten, Motorrädern und sogar Autos.

Gleich an der Kreuzung vor ihrem Haus brannte ein Müllcontainer. Die Nacht brach herein, und die Flammen erhellten die wütenden Gesichter aller. Es war einer dieser seltenen Momente angespannter Ruhe, in denen sich die Feinde gegenseitig beobachten und versuchen, alle vorherzusagen. Dann spielte sich eine unwirkliche Szene ab. Hinter dem Feuer tauchte wie im Tanz eine Sibylle mit abgemagertem Gesicht und welken Armen auf, die in Lumpen gekleidet war. Vor ihr ließ die enge schwarze Reihe aus Rüstungen, Helmen und Schilden kein Schlupfloch, durch das auch nur der geringste Luftstrom eindringen konnte. Eine Zeit lang beschrieb sein seltsamer Tanz Kreise und Zeichen, die zusammen mit der Kraft eines Zaubers die Aufmerksamkeit des Betrachters fesselten. Plötzlich hob sie die Arme, öffnete die Hände wie zwei fünfzackige Sterne und sprach ihren Fluch:

- Deine Söhne werden sterben. Das Brot, mit dem du sie fütterst, ist verflucht. Denn er ist geknetet mit dem Blut und den Tränen des unschuldigen Volkes.

Nur das Knistern der Flammen der Feuer war zu hören. Die Soldaten des Imperiums des Bösen verwandelten sich in Jadesteine, Mineralien, während die Bacchantin ihren hypnotischen Tanz fortsetzte. Das Schicksal schien die ganze Welt auf dieser endlosen Bühne zu fixieren.

Alles in allem reagierte der Beamte und leitete die Anklage ein. Die schwarzen Männer umringten den Container, aber sie fanden nichts. Sie schienen sich zu fragen, ob sie es nicht geträumt hatten. Dann stürzte sich die wütende Menge wie eine furchtbare Flut auf sie, warf viele um, zwang sie zu einem ungeordneten Rückzug und setzte Streugranaten und die Wasserwerfer ein, die sie im Rücken aufgestellt hatten.

Clara glaubte, dass die Kluft, die sich in jenen Tagen der Verzweiflung, der Wut, des Schweißes und des Rauchs zwischen einer Polizei und ihrem Volk aufgetan hatte, mehrere Generationen dauern würde, um sie zu schließen. Aber mehr noch als die Polizei war es die Schuld derer, die in diesem dunklen Moment der Geschichte ihres Landes die Befehle gaben. Wie sind wir hierher gekommen?

XIII

Fabrice war nicht sehr überzeugt. Wenn sich der Schlüssel dreht, haben sie das Schloss nicht geändert. Ein solcher Streit hatte nicht dazu gedient, seine Hilflosigkeit vor den Mädchen zu zeigen, da er sich als unfähig erwiesen hatte, die verdammte Tür zu öffnen. Auf der anderen Seite war er damals wie ein Trunkenbold und im Begriff, einen Fehler zu machen. Wenn die Tür geschlossen war, dann für irgendetwas. Auf diese Weise ohne vorherige Überprüfung zu zeigen, was sie verbirgt, hätte nicht nur eine Leichtfertigkeit ihrerseits bedeutet, sondern vielleicht auch eine schwere Indiskretion. Ein berufliches Fehlverhalten eines Menschen weiß nicht, welche Schwere es ist.

Aber warum um alles in der Welt, wenn sich der Schlüssel dreht, öffnet sich die Tür nicht? Es war ein Geheimnis, das er zu lüften bereit war. Vielleicht gibt es noch einen anderen Mechanismus, der sie zurückhält und der, um ihn zu entdecken, eine gründlichere Untersuchung erfordert, die er vor den Mädchen nicht durchführen wollte, eher aus Angst vor dem Versagen als aus irgendetwas anderem. Er ist der Schutzengel der Kathedrale und muss den Eindruck erwecken, dass er jede Schwierigkeit, die dort auftaucht, ausbügeln kann. Oder zumindest eine plausible Erklärung für das Phänomen zu geben.

Wenn ein solcher vermeintlicher Mechanismus existiert, dürfen Unternehmen, die dort arbeiten, ihn jedenfalls nicht installieren. Es wäre so, als würde man versuchen, etwas vor der Kirche zu verbergen, und man hat ihnen bereits gesagt, dass Vertrauen herrschen muss. Der Staat besitzt die materielle Seite, genau das Gerüst des Gebäudes, hier ist seine Gerichtsbarkeit, und das Gleiche gilt für die Unternehmen, die in seinem Auftrag arbeiten, und die Kirche besitzt die geistliche Seite sowie die Utensilien und Kunstwerke, die mit dem heiligen Dienst verbunden sind, den sie gewährt.

Wenn sich mein Verdacht bewahrheitet, muss Bischof de Sully davon erfahren. Und auch, was dieses Fach enthält. Es werden keine solchen Vorkehrungen getroffen, um etwas Harmloses im Inneren zu verstecken.

Um diesen Überlegungen nachzugehen, hatte Fabrice beschlossen, nach oben zu gehen, diesmal allein, um sich ein besseres Bild von dem zu machen, was vor sich ging, und, wenn möglich, die verdammte Tür zu öffnen. Um dies zu tun, war es am diskretesten, zu warten, bis alle Arbeiter der Unternehmen die Kathedrale in der Abenddämmerung verlassen hatten.

Als er das Gefühl hatte, dass er ihnen mehr Zeit gelassen hatte, als nötig war, um sich zu lösen, steckte er eine Taschenlampe in die Tasche seiner Jacke, um nicht auf die Beleuchtung dieses Teils des Gebäudes zurückgreifen zu müssen, die Aufmerksamkeit von jemandem auf sich ziehen, die Sakristei schließen und die Treppe zum Dach einfädeln konnte.

Als er unter dem Gipfel angelangt war, konnte er der Versuchung nicht widerstehen, einen Augenblick lang den Sonnenuntergang über Paris zu betrachten, der die große Masse von Gebäuden, so weit das Auge reicht, in Brand steckte und die Seine in eine Feuerzunge verwandelte, die von einem verborgenen Vulkan gespeist wurde.

Wie erwartet, war der Raum unter dem Giebel, in dem die Arbeiter arbeiteten, bereits in tiefe Dunkelheit getaucht. Er schnappte sich seine Taschenlampe und schaltete sie ein. Die kolossalen Strahlen schienen ihm vorsintflutliche, primitive Monster zu sein, primäre und entfernte Versionen mittelalterlicher Wasserspeier, die den Geist der Außenwelt in Angst und Schrecken versetzten. Immerhin befand es sich in der Höhle des gotischen *Numen*, das aus irgendeinem Grund dort aufgestellt werden sollte. Manchmal schien es ihm, als hätte sich eines dieser archaischen und zyklopischen Wesen bewegt, und unabsichtlich richtete er den Lichtstrahl darauf.

Doch in der Nacht ruhte alles in der Stille der Jahrhunderte. Er war an diese etwas beunruhigende Stille gewöhnt, aber nicht an die obere, sondern an die des Kirchenschiffs, wenn das Publikum und das Personal die Kathedrale bereits verlassen hatten. Es war die vorletzte Runde, um sich zu vergewissern, dass alles in Ordnung war, dass niemand drinnen geblieben war, zum Beispiel zum Schlafen, wenn es sich um einen Bettler handelte, oder für andere Zwecke, Mystiker, die das Heiligtum für sich selbst erleben möchten, für eine Nacht, oder diejenigen, die ein Sakrileg planen, indem sie heilige Gegenstände oder Kunstwerke stehlen, die dort aufbewahrt werden. Die letzte Wendung liegt in der Verantwortung des Pförtners, der normalerweise gegen Mitternacht geht, bevor er in seinen Privatwohnungen im Inneren des Gebäudes schlafen geht.

Er stand bereits vor dem Slum, den er untersuchen wollte. Niemand sollte dem Sakristan irgendetwas verheimlichen, was in der heiligen Umzäunung der Kathedrale geschieht. Wie dieser seinerseits war er verpflichtet, alles, und sei es noch so klein, dem Rektor Erzpriester Monseigneur de Sully mitzuteilen.

Er kramte in seiner Jackentasche und zog sein rotes Passepartout heraus. Er steckte es in das Schloß und drehte sich um. Bisher war alles geplant. Seine Überraschung begann, als sich die Tür fast von selbst öffnete und sie kaum stieß. Er zuckte mit den Schultern und trat ein. Sie fuhr fort, als ihm klar wurde, dass dort nichts gelagert war, im Gegensatz zu dem, was er angenommen hatte, aber dass diese Hütte dazu gedacht zu sein schien, jemanden zu beherbergen. Zuerst sah er einen Bürotisch mit einer unangezündeten Lampe, ein paar Blättern Papier, einem Stift darauf, dann fegte er mit dem Strahl seiner Taschenlampe den Innenraum und entdeckte ein Bett mit seiner Matratze und Decken, einen offenen Schrank, in dem sich Kleidung befand.

"Ah, das ist sehr gut", sagte er zu sich selbst. –

Er überschreitet die Schwelle, um mehr über diesen Ungehorsam und die unerträgliche Verachtung der internen Regeln der eingefleischten und ehrwürdigen Institution zu erfahren. Er konnte nicht viel mehr unterscheiden, denn eine mineralische Hand, die ein schwarzes Tuch trug, aus dem ein seltsamer Geruch strömte, bedeckte Mund und Nase. Bald wurde seine Sicht verschwommen, seine Ohren wurden genäht und er verlor das Bewusstsein. Als er ohnmächtig wurde, wurde er von dem beunruhigenden Gefühl überwältigt, daß er sich selbst im Vollbesitz aller seiner Kräfte nicht von den Zangen dieser Arme hätte befreien können, die mit unvergleichlicher mechanischer Kraft und ungehälter Effizienz beim Ergreifen und Festhalten ausgestattet waren.

ZWEITER TEIL

I

Es war fast eine Stunde her, seit Alba sie angerufen hatte, um ihr zu sagen, daß er bereits in Paris sei. Es würde nicht lange auf sich warten lassen. Um sich abzulenken und ihn gebührend zu empfangen, hatte sie mit den Zutaten, die ihr zur Verfügung standen, ein möglichst raffiniertes Abendessen zubereitet.

Als das Mahl vorüber war, fühlte sie sich zufrieden, den Tisch zu betrachten. Glücklicherweise hatte sie diese Situation mit dem Kühlschrank und der Speisekammer gut gefüllt.

Sie schaute unter den Balkon, in der Hoffnung, einen Blick auf ihren Gast zu erhaschen, der sich dem Tor näherte. Die Straße war zu dieser Zeit ruhig. Die Demonstration war aufgelöst worden, und abgesehen von den Schäden und den verkohlten Geräten und Fahrzeugen, die sie markierten, scheint sie zur Normalität zurückgekehrt zu sein.

Sie war jedoch überwältigt von der Vorstellung, dass Ergasters Augen sie aus der Ferne erspähen könnten, und da sie dieses Gefühl nicht ertragen konnte, flüchtete sie sich wieder in die Wohnung.

Sie war noch immer von diesem Bild beeinflußt, das ihre Phantasie, befeuert und verschlimmert durch ihre schlimme Begegnung des Tages, ihr ohne Pause vor Augen führte, als sie von der Türklingel überrascht wurde.

Sie rannte los, um das Tor zu öffnen, in der Annahme, dass es Alba war. Dann bereute sie ihre Eile. Die Abschirmung der Tür beruhigte sie etwas. Sie öffnete das Guckloch und beobachtete, wie der Knopf des Aufzugs blinkte.

Während einer Periode, die sich als ewig zu gestalten begann, nahm sie diese leuchtende Unterbrechung nur in der Dunkelheit wahr. Am Ende blieb der Aufzug einfach beleuchtet, und die Innentüren öffneten sich, ein gelber Schlitz kam zum Vorschein, der nichts aufklärte, aber es ihr ermöglichte, zu erkennen, dass jemand den Treppenabsatz betrat.

Wer auch immer es war, er brauchte Zeit, um sich einzuschalten. Was in Albas Fall logisch erschien, da er noch nie in ihrer Wohnung gewesen war; obwohl es auch der Fall wäre, wenn es derjenige wäre, vor dem sie sich am meisten fürchtete.

Endlich war der Treppenabsatz beleuchtet und sie konnte Albas Gestalt sehen, die sich ihr mit sicherem Gang näherte. Es schien ihr, als würde sie in diesem Augenblick das Atmen lernen. Bevor es klingelte, begann sie, die Riegel zu entriegeln.

Die Tür zu öffnen und sich ihm in die Arme zu werfen, war ein und dasselbe. Bald merkte sie, dass es gewagt gewesen war. Aber es war vollbracht, das war's. Sie ließ sich von ihrer Freundin und ehemaligen Lehrerin väterlich umarmen.

"Lass uns hineingehen", sagte er am Ende. "Und du wirst mir alles im Detail erklären. Ich habe euch auch einiges zu sagen...

Dann, als sie den schönen Tisch sah, den sie vorbereitet hatte:

-Ich sehe, dass uns ein üppiges Abendessen erwartet. Du hättest nicht so hart arbeiten sollen, aber ich bin glücklich, denn es ist ein gutes Zeichen für deine aktuelle Stimmung.

-Das glaube ich nicht. Sicher, ich habe es getan, um Ihnen dafür zu danken, dass Sie gesprungen sind, ohne an das erste Flugzeug zu denken, aber es erlaubte mir auch, meine Gedanken von dem abzulenken, was zu meinem Leidwesen zu einer Obsession geworden ist. Hatten Sie Schwierigkeiten, hierher zu kommen? Ich sage das, weil diese Straße noch vor einer Stunde ein Schlachtfeld war.

- Ich weiß, ich habe die Fortsetzungen schon einmal gesehen.

-Ich habe das Gästezimmer für Sie vorbereitet. Willst du sie sehen?

Alba schüttelte den Kopf.

-Ich werde sie später sehen. Jetzt freue ich mich darauf, die Details der Situation zu hören.

Clara nickte.

-Ich bringe den ersten Gang mit und wir unterhalten uns. In der Zwischenzeit können Sie, wenn Sie möchten, den Wein öffnen.

-Natürlich.

Nachdem sie sich niedergelassen und das feine Diner genossen hatte, erinnerte sich Clara an die Szene des vorigen Nachmittags. Als sie geendet hatte, verharrte Alba einige Augenblicke in Meditation, bevor er seine Meinung kundtat.

-Ich glaube, es war nicht inszeniert. Es passte in keinster Weise zu ihm. Es wäre ein unnötiges Risiko für Sie gewesen, die Polizei zu rufen oder spurlos zu verschwinden. Hätte er diesen Vorsatz genährt, hätte er dich nicht entkommen lassen. Und er hat nicht einmal versucht, dich zu verfolgen. Andererseits, wie können Sie erraten, dass Sie an diesem Tag auf die Dächer der Kathedrale klettern würden, um den Sonnenuntergang über Paris zu beobachten?

Clara hatte schon darüber nachgedacht.

Vielleicht sah er mich von oben an, und als er sah, daß ich im Begriff war, hinaufzusteigen, faßte er diesen Streich.

Und was hätte er davon?

- Vergiss nicht, dass er ein sadistischer Folterknecht ist. Er genießt den Schrecken, den er bei anderen auslöst.

Ich glaube jedoch, dass er mit diesem Verhalten zu viel riskiert hat. Und wenn ich richtig liege, haben wir einen großen Vorteil gegenüber ihm. Er bemerkt nichts, während wir schon auf der Suche sind. Dies wirft jedoch eine neue Frage auf. Sie sagten mir, es sei an der Zeit, die Kathedrale zu schließen. Dass die Gläubigen und Besucher das Kirchenschiff verließen, als Sie mit dem Aufstieg begannen.

Clara nickte nachdenklich.

-Das stimmt. Ich bat den Sakristan um die Erlaubnis, in diesem späten Augenblick hinaufgehen zu dürfen. Er sagte mir, ich solle so lange brauchen, wie ich wollte. Dann, auf dem Weg nach unten, sollte ich ihn in die Sakristei holen, damit er mir die Tür der Kathedrale öffnen kann.

"Welches hat er gleich danach geschlossen, nicht wahr?"

-Es war. Ich hörte genau, wie der schwere Bolzen von innen gedreht wurde.

- Deshalb blieb Ergaster in dieser Nacht drinnen.

-Zweifellos.

-Vielleicht war es keine Ausnahme, und er schläft tatsächlich normalerweise dort. Er ist eine Figur, die durch ihre einfache Vision Gänsehaut verursacht. Er kann nicht in einem Hotel auftauchen und nach einem Zimmer fragen, wie es jeder andere tun würde. Zumindest nicht, ohne Argwohn und Misstrauen bei allen zu wecken. Auf jeden Fall ist er jemand, der nicht unbemerkt bleibt. Und es scheint klar zu sein, dass genau das sein Zweck ist. Glaubst du, dass jemand dort die ganze Nacht verbringen kann, ohne entdeckt zu werden?

Clara nahm einen leichten Schluck aus ihrem Glas Weißwein, bevor sie antwortete.

-Soweit ich weiß, gibt es Zwei-Nacht-Runden. Die erste beaufsichtigt den Sakristan und findet ein bis zwei Stunden nach dem Schließen statt. Die zweite wird von der Wache gegen Mitternacht gemacht. Wobei ich nicht glaube, dass der eine oder andere den Eifer bis zum Stöbern auf den Dachböden treibt. Dafür bräuchten sie Stunden. Und ja, es gibt Hunderte von Ecken, in denen man diskret schlafen und sogar Decken usw. verstecken kann. Sie erinnerte sich, daß Quasimodo dort geschlafen hatte. Tagsüber wird er sich jedoch entweder sehr gut verstecken oder das Gelände verlassen, denn jetzt arbeiten Mitarbeiter auf den Dächern.

Diese letzte Tatsache schien für Alba von besonderem Interesse zu sein, da er dort lange Zeit meditierte.

- Es ist seltsam, denn er muss sich tagsüber verstecken und wahrscheinlich nachts ausgehen. Die Kathedralen-Option scheint das Gegenteil zu bewirken.

Ich habe gehört, dass es einigen Dieben gelungen ist, über die rauen Oberflächen des Gebäudes einzudringen. Es gibt sogar solche, die aus einfachem Trotz eintraten. Sie fotografierten sich selbst dabei, dann drinnen, und stellten die Bilder dann ins Internet.

Alba nickte wiederholt.

-Wenn jemand so etwas konnte, dann Ergaster auch.

Clara benutzte die Stille, die in diesem Augenblick eintrat, um den zweiten Gang herbeizuführen. Nachdem sie es auf den Tisch gelegt hatte, fasste sie aus, was sie beide dachten.

Dann hält sich Ergaster an einem Ort auf, an dem es keine Aufzeichnungen über die Ein- oder Ausreise gibt. Es ist wahr, dass dies die peinlichen Folgen vermeidet, die sein Körper verursacht. Aber ich glaube jedenfalls nicht, dass er, wenn er nicht etwas anderes zu verbergen gehabt hätte, sich die Mühe gemacht hätte, eine Lösung dieser Größenordnung zu wählen. Klingt übertrieben, oder?

Anstatt zu antworten, zog es Alba vor, sich selbst zu bedienen, was ihr die Gelegenheit gab, über seine Antwort nachzudenken.

"Ja", gab er zum Schluss zu, "es scheint legitim zu sein, zu schließen, dass Ergaster etwas nicht Unbedeutendes plant, nach den Vorbereitungen zu urteilen. Eine Schlussfolgerung, die noch beunruhigender ist, wenn man sie mit den Informationen vergleicht, die mir Tynianov gegeben hat.

Alba war sich bewusst, dass er zu einer langen Erklärung ansetzte, und hielt inne, um den zweiten Gang zu probieren. Clara schien wieder zu sich zu kommen.

-Ah. Für das Fleisch hatte ich einen anderen Wein eingeplant.

Sie holte es aus der Küche und als sie zurückkam, war die Flasche schon offen. Sie servierte Alba einen guten Schluck und füllte ihr Glas bis zur Hälfte.

"Du bist eine ausgezeichnete Haushälterin, Clara. Alles ist köstlich.

-Es ist schade, dass es passieren musste, damit Sie kommen und es sich ansehen konnten. Ich hätte Sie gerne unter anderen Umständen empfangen.

Alba wischte sich die Lippen mit dem eleganten Handtuch ab, das zur Tischdecke passte.

- Wie auch immer, ich habe mich darauf gefreut, von Ihnen zu hören.

-Es tut mir leid, Ihnen so schlechte anbieten zu müssen.

-Keine Sorge, Tynianov weiß es bereits und hat mir versprochen, alles dafür zu tun, dass ein so besonderes Subjekt wie Ergaster unter Beobachtung gestellt wird, zumindest in den ersten Wochen seines überraschenden Wiederauftauchens.

Clara atmete erleichtert auf.

Wusste er, dass er seine Verletzungen überlebt hatte?

- Nein, aber es war nicht sehr schwer für ihn, es zu lernen.

-Und was hat er dir sonst noch gesagt?

Alba trank, bevor sie sprach.

-Jemand, der sehr gut aufgestellt war, wir wissen noch nicht, in welchem Bereich, hat sich sehr für ihn interessiert. Sicherlich mit nicht sehr heiligen Absichten, versteht sich. Ein großer Fisch. Sehr groß, gemessen an den Mitteln, die er zur Verfügung gestellt hat. Zuerst rief er die besten Ärzte und Chirurgen der Welt zusammen, was dazu führte, dass einige sie aus dem Ausland holten. Dann wandte er sich an die besten Anwälte des Landes. Aller Wahrscheinlichkeit nach hat er zu dieser verlockenden Bestechung in den höchsten juristischen und politischen Sphären beigetragen.

-Und das alles für ein Monster wie Ergaster? »

-Genau. Für einen Agenten von höchstem Wert auf dem Gebiet des Verbrechens. Und alles scheint darauf hinzudeuten, dass, welche Mission auch immer ihr übertragen wurde, erstens wahrscheinlich die Vorbereitungen begonnen haben, zweitens wird sie angesichts der Eigenschaften des Themas, das für ihre Durchführung ausgewählt wurde, kein Müll sein.

»Es gibt jedoch etwas Ermutigendes,« erwiderte Klara sofort. –

-Welches?

- Dass in einem solchen Fall die Rache an uns in den Hintergrund tritt.

Es war wahr. Alba nickte.

"Allerdings", sagte er, "müssen wir vorsichtig vorgehen, damit er uns nicht in seinem Wirkungsradius entdeckt und beschließt, zwei Fliegen mit einer Klappe zu schlagen. Es stellt sich heraus, dass man, um es kurz zu machen, dort arbeitet, wo er lebt.

- Ich habe gerade überlegt, diesen Job aufzugeben. Ich denke nur, dass ich diesen Teufel so nah haben werde... Wie schaffe ich es, mich unter diesen Bedingungen zu konzentrieren?

Eine solche Entscheidung wäre nach dem derzeitigen Stand der Dinge übereilt. Gerade jetzt, am helllichten Tag und mit der Kathedrale, die immer noch von Touristen überfüllt ist, denke ich, dass Sie sich in Sicherheit wiegen können.

Claras Augen weiteten sich.

– Ja, aber stellen Sie sich vor, er erkennt mich und beginnt mir in seiner Freizeit zu folgen. Es ist nicht abwegig zu glauben, dass er auch tagsüber drinnen oder draußen, nicht weit entfernt, umherstreift.

- Als erste Disposition sollten wir das Aussehen ändern, wir beide. Kleiden Sie sich mit einem anderen Stil, färben Sie unsere Haare. Ich könnte mir zum Beispiel einen Bart wachsen lassen, eine Brille ohne Sehstärke tragen. Ändere in deinem Fall deine Frisur. Kurz gesagt, mit ein wenig Fantasie könnten wir uns unkenntlich machen. Und zweitens, gehen Sie in die Kathedrale, um aus der Ferne zu beobachten, was um Sie herum passiert, sowie um eine erste Erkundung dieser ganz besonderen Gegend zu machen.

-Vielleicht... Zumindest wird es den Vorzug haben, mich zu beruhigen, während ich arbeite, weil ich weiß, dass du da bist, irgendwo.

II

Der Rektor Erzpriester, Erzbischof Maurice de Sully, hatte seinen persönlichen Koch beauftragt, für diesen Abend ein ganz besonderes Abendessen zuzubereiten. Und in diesem Augenblick befand er sich ganz allein im Speisesaal des Presbyteriums, vor einem ungeheuren Tisch, der für zwanzig Gäste bestimmt war, die mit Leichtigkeit saßen, mit einem blendenden weißen Tischtuch bedeckt und mit einem halben Dutzend silberner Kandelaber beleuchtet waren.

Alle Stühle, mit Ausnahme des seinen, die am Kopfende des Tisches standen, waren entfernt und zu beiden Seiten an den Wänden aufgereiht worden. Angesichts eines solchen schweren und massiven Throns, den er sich selbst vorbehalten hatte, hatte er eines der neuesten und teuersten Handymodelle schwarz auf weiß hervorgehoben. Er erwartete eine Berufung, die nicht nur sein bescheidenes Leben, sondern das der gesamten Christenheit schlagartig verändern würde.

Er war glücklich, die Speisekarte zu überprüfen. Mediterrane Bar und Austern aus der Normandie in Remoulade, Zitronencreme und *Sologne-Kaviar* . Mangold und schwarzer Trüffel aus dem Périgord mit königlichem Risotto. Norwegischer Kabeljau, auf dem Teller gegart, mit Butter und Zitronenmelisse. Apfelsorbet und Calvados für die mittlere Pause. Lammfilet aus Sisteron mit Vadouvan, Gnocchi mit Kräutern und Artischocke. Eine Auswahl an Weinen, die ein kleines Vermögen kosten. Andere gereifte Käsesorten. Bio-Zitronencreme von Adrien und Olivenöl von Champsoleil, Baiser mit Lavendel. Schokolade aus Venezuela und Karamell-Erdnuss mit *Fleur de Sel*, reines Schokoladensorbet.

In seinem Plan war keine Verschwendung, denn er konnte ihn nicht nur nach einigen Zwischenschritten auf den Stuhl Petri bringen, sondern er würde der Welt auch die notwendige geistliche Heilung anbieten, die sie so dringend braucht, indem er mit der einmütigen Unterstützung der großen Mehrheit der Gläubigen eine Wende um hundertachtzig Grad in der Politik des Heiligen Stuhls einläutete. erschüttert von dem Schock universellen Ausmaßes, der bevorstand. Und als ob das noch nicht genug wäre, sollte er endlich von allem Violet le Duc befreit werden, wenigstens was Notre-Dame de Paris betrifft, das von der Kruste, um nicht zu sagen von Lepra, befreit sein wird, die dieses lasterhafte Subjekt in sie gelegt hat. Den Rest unangetastet lassen.

Das Paradoxe an der Situation ist, dass dieser gewaltige Impuls, den sein Plan entfesseln muss, nicht von ihm selbst gegeben werden muss, nicht einmal von seinem eigenen, sondern von dem eingefleischten Feind durch Fehleinschätzung gemacht wird.

Dann muss er natürlich die Ärmel hochkrempeln und sich an die Arbeit machen. Alles ist miteinander verbunden und gut verbunden. Aber sie wissen es nicht und erwarten es auch nicht. Es war an der Zeit, dass sie den Fehler machten, der sie verlieren würde.

Maurice de Sully konsultierte die korpulente Wanduhr im hinteren Teil des Raumes, deren Apparatur in der dichten Stille des Presbyteriums zu spüren war. Er meinte, er könne sich noch den langen Gang zum Fenster erlauben, um den Sonnenuntergang über Paris zu betrachten, das sich heute nachmittag in seiner Galauniform präsentieren wollte, mit Bannern und Wimpeln, rot und orange, in Hülle und Fülle, auf azurblauem Hintergrund.

Er schauderte plötzlich vor der kolossalen und unverhältnismäßigen Verantwortung, die auf seinen Schultern lastete. Und damit auch das Risiko. Obgleich er in bezug auf den letzteren bereits Maßregeln ergriffen hatte, so war doch die wichtigste gewesen, zu der Figur Zuflucht zu nehmen, die er selbst Leviathan genannt hatte. Ein entfesseltes, ungezügeltes, hemmungsloses, dunkles und vor allem sehr gefährliches Wesen für diejenigen, die keinen Einfluss auf ihn ausüben. Ein Wesen, mehr als ein Mensch, ausgestattet mit einem absoluten Mangel an Skrupeln. Er wird mein Leibwächter sein, überlegte er. Mit ihm an meiner Seite, gut vorbereitet, habe ich nichts zu befürchten. Ich weiß, was für ein Fleisch man diesem Tier vorwerfen sollte.

Man muss ihm zugute halten, dass es nicht nur Kraft, sondern auch Technik, Strategie und Organisation gibt. Du musst ihm nur sagen, was du willst, um es zu bekommen. Wenn möglich, wird es gemacht. Wenn das nicht möglich ist, wird es gemacht. So argumentiert Leviathan, und so funktioniert Leviathan.

Die erwartete Stunde ertönte mit feierlichem Glockenspiel und rund wie Metallkugeln. Der Rektor Erzpriester, Monseigneur de Sully, trat mit langsamen und schweren Schritten auf das Kopfende des Tisches zu. Er setzte sich in den braunen, mit Samt gepolsterten Massivholzstuhl, der vorbereitet worden war, und wartete, wobei er mit Zeigefinger und Daumen die Oberseite seiner Nasenscheidewand hielt und die Augen geschlossen hielt.

Der Bildschirm schaltete sich ein und das Gerät begann scheinbar zu vibrieren und gab einen leichten Ton von sich. Er nahm den Anruf entgegen.

-Ich höre.

Auf der anderen Seite der Leitung grollte eine höhlenartige und tiefe Stimme, als müsse sie, um aufzutauchen, zuerst in einem Grab erklingen und dann durch einen marmornen Grabstein gehen, ohne auch nur ein Quäntchen an Intensität zu verlieren.

-Grünes Licht erhalten. Die Veranstaltung findet am fünfzehnten April bei Einbruch der Dunkelheit statt.

Ich hab es. Er legte auf, schloss die Augen wieder und atmete eine große Menge Luft ein, einen echten Stieratem, den er fast eine Minute später ausstieß und mit dem sich die Anspannung für mehrere Tage ansammelte. Dann holte er das Telefon hervor und durchstöberte das Verzeichnis. Er wählte den Kontakt und streifte ihn mit der Fingerspitze. Er musste nicht lange warten.

"Ich höre zu, Meister.

-Wir haben die Verankerungen geschnitten. Und wir segeln. Sie kennen den Kurs bereits.

-Ja, Meister.

Er unterbrach die Kommunikation. Dann fügte er für sich selbst und für das zurückhaltende Schweigen des Presbyteriums das Wort hinzu. Rom.

III

Fabrice wachte in dem Slum auf, den er wegen seiner Krankheit entdeckt hatte, nackt vom Gürtel aufwärts, an einen senkrechten Balken gefesselt und geknebelt. Allmählich lösten sich die Schleier und die Benommenheit von Chloroform auf, bis er die volle Kontrolle über seinen Verstand und damit auch über seine Angst wiedererlangte.

Über ihm hing eine Lampe. Ein anderer glänzte auch auf dem Schreibtisch. Er war allein, inmitten einer unwirklichen Stille.

Nachdem er mit seinen erschrockenen Augen alle Gegenstände, Unfälle und Ecken und Winkel abgesucht hatte, die ihnen der kleine Raum bot, stießen sie auf ein seltsames Gerät, das direkt zu seinen Füßen lag. Er musste die Ligaturen, die seinen Kopf hielten, etwas erzwingen. Es war ein weißes Tischtuch, wie eine Art Miniaturaltar, an dessen Enden zwei dicke Kerzen brannten, die auf Metallplatten standen, und in der Mitte, auf einem Silbertablett, ein furchtbares Messer, dessen Klinge in Form eines Fisches im Schein der Kerzen glänzte.

Seine Phantasie flog wie von einem Triebwerk einer Weltraumrakete beschleunigt, aber er war noch lange nicht von dem ganzen Programm entfernt, das Ergaster für ihn vorbereitet hatte und das er übrigens schon in der ersten Phase hatte. Der Gutachter greift erst dann ein, wenn sich das Opfer bereits seelisch über die Schwelle der Verzweiflung hinaus gequält hat. In der ergastianischen Version dieser östlichen Qual gab es nicht die geringste Verschwendung.

Er betrat das Zimmer erst, als bis der Gegenstand seiner gebieterischen Aufmerksamkeit schon reif war. In der Tat schienen Fabrices Augen sehr weiß zu sein, seine Pupillen sahen aus wie schwarze Käfer, die an die weiße Hornhaut genagelt waren, und die Augäpfel schienen darum zu kämpfen, aus ihren Höhlen zu kommen. Sein ganzer Körper war schweißgebadet und glühte vor den tanzenden Flammen.

Ergasters Vision half der Sache nicht. Sein Gesicht war die absolute Kopie seines ekelerregenden und degenerierten Geistes. Das Mißverhältnis der verschiedenen Körperteile trug dazu bei, ihn zu einem verrückten Wesen zu machen, das sich jeder Vorstellung von Vernunft und gesundem Menschenverstand widersetzte. Aus all dem triefte ein ungezügeltes und unausgeglichenes Böses, das versprach, sich nicht innerhalb der Grenzen des Menschlichen zurückhalten zu können, sondern sich in die tiefsten Höhlen einer uralten proto-menschlichen Grausamkeit zurückzuziehen.

Obwohl Fabrice sich bereits erschöpft hatte, als er versuchte, sich loszureißen, fing er beim Anblick Ergasters, von Panik und Verzweiflung getrieben, wieder auf. Letzterer ließ es zu, während er höhnisch grinste.

Als der arme Teufel endlich aufhörte zu kämpfen, mit beiden Händen, die eine unter dem Griff und die andere unter der Klinge, zeigte er ihm genau das störende Messer, dessen Schneide im Schein der Lampe glänzte. Er behielt es lange Zeit so, damit Fabrice erkennen konnte, wie scharf die Klinge war, und diese Information in die Tiefen seines Wesens integrieren konnte. In der Tat hätte er sich ein Haar in der Luft schneiden können.

Dann brachte er einen Krug Wasser, ein Glas und eine Flasche Essig.

"Du wirst sehr, sehr durstig sein", warnte er ihn. –

Fabrice fällt in Ohnmacht. Ergaster wartete geduldig, bis er wieder zu sich gekommen war.

Erst als er merkte, dass er das Bewusstsein wiedererlangt hatte, machte er den ersten Schnitt. Das Opfer wollte aus Leibeskräften schreien, aber der ganze Schrei wurde von dem Knebel absorbiert, der seinen Mund füllte.

Jetzt wusste Fabrice, dass es eine lange Nacht werden würde.

IV

An diesem Sonntag jährte sich zum dritten Mal der Tag, an dem die Seele seiner Mutter, der Gräfin Maria Tynianowna, nach der orthodoxen Liturgie aufhörte, die Bitterkeit der Finsternis dieser Welt zu schmecken, und zum Licht aufstieg. Zum Gedenken an dieses Ereignis begab sich der Kommissar in Begleitung der alten Yaichnitsa auf den Friedhof, um einen Blumenstrauß und ein Gebet an ihrem Grab niederzulegen.

Sie waren früh angekommen, sobald die Sonne anfing, den Berg Boron zu passieren und das Meer rosa und pastellfarben zu färben. Er wollte weder seinem Bruder noch einem anderen Mitglied seiner Familie über den Weg laufen. Er wollte nur ruhig seine kindliche Pflicht erfüllen, die alte Dienerin Jaïtchnitsa begleiten, um der Gräfin zu huldigen, und so bald wie möglich nach Hause zurückkehren, um über seine Besorgnis des Augenblicks nachzudenken.

In der Tat hatte die Auferstehung des zähen Hindus, der versucht hatte, ihn genau dort, auf dem Friedhof, zu töten, ohne seine Männer, die um ihn herum stationiert und auf diese Eventualität vorbereitet waren, nachdem es ihm gelungen war, ihn zu erschießen, ihm eine Skizze des Zorns gegeben, die er nur schwer zurückhalten konnte. Er sorgte sich nicht nur um seine eigene Sicherheit, sondern auch um die des Lehrers und der Enkelin von Bardés, gegen die er zweifellos einen hartnäckigen Groll hegen wird.

Der Groll eines Monsters sollte niemals unterschätzt werden.

Darüber hinaus gibt es einen Typus oder eine Wesenheit, die keine Mittel gescheut hat, nicht nur um ein so zutiefst verdorbenes und verderbliches Wesen aus den Klauen des Todes zu retten, das mit einer überraschenden, fast unglaublichen Gabe von körperlichen und geistigen Eigenschaften gesegnet ist, um Böses zu tun, sondern auch, um die Spuren solcher Aufträge zu verwischen. Die Spur des Geldes, das bei dieser Gelegenheit verwendet wurde, verschwindet nach drei oder vier Bewegungen.

Sicher ist, dass jeder, der sich für ein solches Juwel interessiert, nicht die Absicht haben wird, es mit der Aufgabe zu beauftragen, Heilige in einer Kirche zu kleiden. Zum Beispiel in der Kathedrale Notre-Dame in Paris, wo er sich laut Professor Alba aufzuhalten scheint.

Während der alte, wenn auch trockene und harte Yaichnitsa das Pantheon reinigte, begann der Kommissar das weinfarbene Meer gegen das Kap von Antibes zu betrachten.

Jetzt kann nichts mehr getan werden. Rechtlich gesehen hat der Einzelne absolute Bewegungsfreiheit. Es ist nicht einmal möglich, ihn unter präventive Überwachung zu stellen, weil die Polizei derzeit unterfinanziert ist. Und die wenigen, die sie hat, sind von den Nachwirkungen der Revolution und des Terrorismus betroffen.

Wenn es kein greifbares Ereignis oder objektive Beweise dafür gibt, dass die Person eine Straftat vorbereitet, wird die Bedrohung, die sie darstellt, zweifellos nicht offiziell berücksichtigt und ihr werden keine Ressourcen zugewiesen.

- Barin -Yaishnitsa fragte ihn, - das Feuer der Auferstehung ist entzündet.

Der Satz traf den Kommissar völlig unvorbereitet.

-Wie?

- Das Osterfeuer, das die Auferstehung Christi und mit ihm die Auferstehung von uns allen symbolisiert. Dies ist die Zeit des Gebets für das Licht, welches Gott ist. Der Gläubige muss darum bitten, dass der Funke des Lichts, der sich in ihm einnistet, eines Tages wieder mit dem vollkommenen Licht vereint wird.

»Ja, ja, natürlich«, erwiderte Tynianov zerstreut. –

Beide begannen, vor der stillen Flamme der Osterkerze für die Erneuerung des Lebens und des Universums zu beten, für das Rad, das niemals stillsteht, für die ewige Wiederkehr der Ursprünge und für die Rückkehr der Seelen, die vom Feuer entzündet und gereinigt wurden.

Tynianov dachte an die Gräfin. Yaichnitsa auch.

V

Alba und Clara verbrachten den Sonntagvormittag damit, ihr Äußeres so weit wie möglich zu verändern. Der erste gab zum ersten Mal in seinem Leben auf, sich zu rasieren, kaufte sich eine Brille ohne Sehstärke und schnitt sich mit einer Bürste die Haare. Clara ließ ein Quadrat stehen und färbte ihr Haar in einem Farbton, der sich leicht von ihrem natürlichen Farbton unterschied.

"Das reicht", warnte sie, "denn ich will nicht Gegenstand des Geschwätzes der Kollegen sein. Vor allem von ihnen...

Dann wählten sie andere Arten von Kleidung aus und versuchten, das Ergebnis so weit wie möglich zu verändern. Auch hier zögerte Clara, eine radikale Lösung zu finden. Sie verstand jedoch, dass sie die Jeans und Teenager-Shirts für eine Weile vergessen und stattdessen zu den Kleidern tendieren musste. Das Ergebnis schaffte es, Alba etwas zu beunruhigen, denn die junge Frau, die ehemalige Studentin, verschwand und eine Frau erschien mit einem bedeutungsvollen Blick.

Im Gegenzug hatte Clara viel Spaß daran, für ihn Kleidung auszusuchen, die unter anderem eine unakademische Spur prägte, die ihn im Gegenteil sehr verjüngt.

Als sie die Verwandlung vollzogen hatten, waren sie zufrieden, denn obwohl sie sich bewusst waren, dass sie nicht unkenntlich geworden waren, konnte die Veränderung ausreichen, um jemanden in die Irre zu führen, der sie, wie Ergaster, nicht mehr als ein paar Mal gesehen hatte. Und anderswo.

Trotzdem beschlossen sie, nicht gemeinsam in der Kathedrale aufzutreten. Das Klügste, was man tun konnte, war, bis Montag zu warten und separat einzutreten; Clara, wie immer, um sich dem Team von Gastronomen anzuschließen, und Alba mischte sich unter die Tausenden von Touristen, die das Gebäude täglich besuchten. Also beschlossen sie, den Sonntag so zu verbringen, als wären sie nur gekommen, um die Stadt zu sehen. Der Tag war herrlich, und sie begannen mit einem langen Spaziergang.

Beide merkten, dass sie etwas von ihrer früheren Natürlichkeit verloren hatten, und wenn sie glaubten, vom anderen nicht wahrgenommen zu werden, sahen sie sich aus dem Augenwinkel an. Gelegentlich verhielten sich ein Kellner oder eine Verkäuferin ihnen gegenüber, als wären sie ein verliebtes Paar, das wahrscheinlich seine Flitterwochen in Paris genoss. Als dies geschah, lächelten die beiden, aber sie konnten nicht anders, als sich etwas unbehaglich zu fühlen, ziemlich beunruhigt. Aber sie mussten erkennen, dass dies der Eindruck war, den sie erweckten.

Als es jedoch Zeit für das Mittagessen war, war es schon eine ganze Weile her, dass die beiden getrennt voneinander die gleiche Überlegung angestellt hatten: Was kann das bewirken? Lass sie denken, was sie wollen. Und tief in ihrem Inneren waren sie beide stolz darauf, dass Menschen in diesen Fehler verfallen konnten. Es gab einen spürbaren Altersunterschied, aber plötzlich schien sich dieser Unterschied sichtbar verringert zu haben. Das sind die Momente, in denen man keine andere Wahl hat, als sich der Bewegung hinzugeben, weil man sich in einem fahrenden Auto befindet.

Während sie im Restaurant waren, konnten sie, egal wie wenig es zu der Situation passte, die sie durchmachten, nicht aufhören zu lachen und sich gegenseitig Anekdoten über die Fakultät und diejenigen, die zu dieser Zeit Teil davon waren, zu erzählen. Ein ausgezeichneter Weißwein trug seinen Teil dazu bei, dass diese kaum zu bändige Freude überschwänglich wurde.

Zurück auf der Straße verspürte Clara den Drang, den Arm um ihre Taille zu legen und sich zu umarmen, aber ein letzter Skrupel hielt sie zurück.

Ihre abendlichen Wanderungen führten sie unwillkürlich nach *Notre-Dame.* Beide blickten gleichzeitig auf, um das Profil des erhabenen Gebäudes zu erkennen, das in den Malachithimmel gehauen war.

Nachdem sie ihn eine Weile angeschaut hatte, wandte Alba, ohne ein Wort zu sagen, ihm den Rücken zu und ging weiter in die entgegengesetzte Richtung, in der Meinung, daß Clara dasselbe tun würde, aber sie war regungslos geblieben, die Augen auf die Kathedrale gerichtet, so daß der Professor die wenigen Schritte, die er getan hatte, zurückverfolgte und sie nachahmte.

"Es ist seltsam", flüsterte sie mit leiser Stimme. –

- Was ist seltsam?

Clara fuhr fort, das Profil der Kathedrale zu betrachten.

- Ich beziehe mich auf die Worte von Msgr. de Sully, dem Rektor des Erzpriesters, den ich Monsignore Batracien nenne, aus Gründen, die Ihnen offensichtlich erscheinen, wenn Sie ihn sähen...

- Was hat Euer großer Batrachianer Euch erzählt?

- Es war das erste Mal, dass ich ihn sah. Und er zu mir. Er sprach die rätselhaften Worte: " Mit dem Blut von Bardés werden wir auch nur die kleinste Spur von Viollet-le-Duc aus dieser Kapelle tilgen, so dass nur noch Jean Pucelle übrig bleibt! Und das ist erst der Anfang! Mit der Zeit werde ich aus der ganzen Kathedrale jede Spur von Viollet-le-Duc und seinem schrecklichen Jugendstil entfernen! "

»Und was ist daran so merkwürdig?«

- Der Einfluss von Viollet-le-Duc auf Notre-Dame ist immens und überall. Unter anderem ist dieser Pfeil, den Sie sehen, von ihm und wiegt siebenhundertfünfzig Tonnen. Auch die Wasserspeier wurden von ihm gezeichnet und er ließ sie schnitzen. Alle Spuren von Viollet-le-Duc auf Notre-Dame zu verwischen, scheint mir schlichtweg unmöglich. Mehr noch, verrückt.

- Und warum sollte er so etwas tun wollen?

Die Hauptkritik an Viollet-le-Duc war schon seinerzeit, dass er in seinem Wunsch, das Gebäude in völliger Anpassung an die Prinzipien der ursprünglichen gotischen Kunst wieder aufzubauen, und er erkannte dies selbst an, Notre-Dame zu einer Kathedrale hätte machen können, die nie existiert hatte oder besser gesagt, die nie hätte existieren dürfen. Es gab Leute, die ihn deswegen nicht besonders mochten. Die Gemüter erhitzten sich.

Alba zuckte mit den Schultern.

-Ich persönlich liebe es, so wie es jetzt ist. Aber am Ende, wenn die Kirche Geld hat und es dafür verwenden will, ist das ihr gutes Recht.

-Nicht wirklich. Alles im Inneren gehört der Kirche, aber der Rohbau des Gebäudes gehört dem Staat. Zum Beispiel fallen die Arbeiten, die derzeit auf dem Dach durchgeführt werden, in die Zuständigkeit des Staates.

- Wollen Sie damit andeuten, dass Ihr Msgr. Batracian in dieser Frage in Konflikt mit dem Staat geraten könnte?

- Das ist eine Möglichkeit. Ich glaube jedenfalls nicht, dass der Staat der einzige war, der sich einer solchen Reform widersetzt hat.

Clara kniff in die Augen und lächelte.

In gewisser Weise wurde Viollet-le-Duc bereits aus der Kathedrale entfernt. Wenn auch nur vorübergehend.

-Was meinst du damit?

Am Fuße des Turms befahl der Architekt, sechzehn Statuen aufzustellen, die die zwölf Apostel und die vier Evangelisten darstellen. Die letzte, die dem Turm am nächsten war, war die Gestalt des heiligen Thomas, auf dessen Gesicht Viollet-le-Duc seine eigenen Züge gelegt hatte. Es ist die einzige Statue, die nicht auf die Stadt, sondern auf ihr eigenes Werk blickte. In seiner rechten Hand trägt die Regel der Baumeister oder Maurer eine lateinische Inschrift, die wie folgt lautet: "Eugène Emmanuel Viollet-le-Duc baute diesen Turm". Am Fuße der Säule, die sie trägt, hat er eine Tafel mit freimaurerischen Symbolen angeschraubt: das Quadrat und den gekreuzten Kompass sowie ein Akronym für den Ruhm des Großen Architekten des Universums. Nun, all diese Figuren wurden vor kurzem, wenn auch nur vorübergehend, entfernt, um wiederhergestellt zu werden.

Alba dachte nach und betrachtete das ehrwürdige architektonische Werk. Auch Clara versuchte sich vorzustellen, wie die Ausrottung von ganz Viollet-le-Duc aussehen würde. Für gewöhnliche Menschen, dachte sie sich, *ist Notre-Dame* das, was sie jetzt ist, und nichts anderes. Außerdem, so erinnerte sie sich, unterstützte Victor Hugo Viollet-le-Duc. Und *Notre-Dame* ist in gewisser Weise auch Victor Hugo.

VI

Ergaster packte alle Organe, die dem unglücklichen Fabrice entnommen worden waren, in einen Müllsack und lud seinen Körper auf seine Schulter, wie jemand, der eine Decke oder einen Rucksack hineinwirft. Er schnappte sich die schwarze Plastiktüte und verließ den Slum.

Sein erstaunlicher Sehsinn sowie das Wissen, das er bereits über den Ort besaß, ermöglichten es ihm, sich vorwärts zu bewegen, ohne eine Leuchte anzünden zu müssen.

Als er durch eine Öffnung ging, hielt er einen Augenblick inne, um die erleuchtete und immer noch aktive Stadt zu betrachten. Aber das war ihm egal. Er würde unter diesem schwachen nächtlichen Pulsieren durch eine feuchte, stille und dunkle Welt gehen. Die Welt der Ratten.

Er stieg die Treppe eines der Türme hinab, bis er das Kirchenschiff erreichte, vor dem abgestumpften, wenn auch leicht feindseligen Blick der Engel und Heiligen, die in verschiedenen Formen und Stützen dargestellt waren. Wenn sie nicht jenseits des Menschlichen wären, würden sie das Feuer des Himmels senken, um dieses Tier zu vernichten, ohne ein einziges Gramm seiner Materie, lebend oder tot.

Wieder begann er die Stufen einer anderen Treppe, diejenige, die zur Krypta führte. Er war der Hölle schon näher, seiner eigenen Umgebung. Der leblose und gedankenlose Kopf des Sakristans wackelte auf dem Rücken wie der einer Puppe, die von der Bühne entfernt wurde.

Nur Wasserlebewesen und Batrachianer, die in der Kanalisation leben, können den Ausdruck des Entsetzens sehen, der über jede vorstellbare Grenze hinausgeht und sein Gesicht prägte.

Er befand sich im ältesten Teil dieses Labyrinths, das für den Laien unentwirrbar ist, dieses geheimen Flusses, der verstohlen und schweigend durch die Eingeweide von Paris gleitet, alle seine Punkte mitteilt und sie als zwei symmetrische, parallele, sich überlagernde Welten korrespondieren lässt, die eine öffentlich, die andere esoterisch.

Er kannte einen Teil, dessen Bau bis in die tiefsten Wurzeln des Mittelalters zurückreichen musste, wenn nicht sogar noch mehr. Am Ufer einer kleinen Lagune ließ er Fabrices leblosen Körper fallen. Neben sich stellte er die schwarze Plastiktüte ab. Dann fing er an, die danteske Szene zu betrachten, zu der nur die Augen nachtaktiver Raubtiere Zugang hatten.

In seinem Geiste zogen die tausend Blicke des Schreckens und des schärfsten Schmerzes, die nacheinander an die Oberfläche des Gesichts seines extravaganten Opfers stiegen, immer noch mit voller Geschwindigkeit vorüber, und sein ganzes Wesen war betrunken und von einer bösartigen, rasenden und unwiederbringlichen Begeisterung ergriffen. Die Unversehrtheit seiner unkontrollierbaren, verdammten schwarzen Seele verlangte mehr, viel mehr. Die Deiche waren zusammengebrochen, die mächtigen Wellen der Morbidität stießen, brachen zusammen und wurden von dem Schwung der wiedergewonnenen Freiheit mitgerissen.

Bis dahin hatte ihn das ausdrückliche und strenge Veto seines Meisters zurückgehalten, aber der Zufall hatte ihm Honig in den Mund gesteckt, ohne dass er danach gesucht hatte, und er hatte wieder die Droge gekostet, die unbändig und irreversibel berauscht. Der Wille hatte sich ganz dem ungeheuren Impuls der Leidenschaft ergeben. Sein ganzes Blut stand auf und rief ihm ein einziges Wort zu: »Sieh!«

Er drehte sich auf dem Absatz um und verließ die dunkle Landschaft mit großen Schritten.

VII

Der Kommissar ging hinaus, um der sanften Morgensonne auf dem Balkon seiner Wohnung in Zarewitsch entgegenzutreten, gerade noch rechtzeitig, um seinen alten Diener Jaitschniza in die russische Kathedrale von Nizza eintreten zu sehen, deren emaillierte Glühbirnen vom mächtigen Blick der Sonne verwundet glänzten. Für sie beginnt eine lange Gebetssitzung, die sie mindestens bis zum Vormittag beschäftigen wird. Die Dienerin war eine Insel des heiligen Rußlands, die sie nie betreten hatte, mitten in der weltlichen französischen Republik. Alle Bestandteile der großen russischen Gemeinde dieser Stadt sind es mehr oder weniger, aber Jaitschniza ist genau das Bild des alten orthodoxen Fanatikers, das wir bei Dostojewski oder Tolstoi wahrnehmen. Im nächsten Urlaub, so beschloss er, werde ich sie mitnehmen, um eine Woche in St. Petersburg zu verbringen, und dass sie endlich das spüren kann, was sie innerlich ist, und Russisch hören kann, die Sprache, mit der sie betet und denkt, auf der Straße.

Er setzte sich auf einen Korbstuhl und schloss die Augen. Sofort erschien in der Schädelkammer die unregelmäßige und unheimliche Gestalt Ergasters. Selbst er hatte ihn für tot gehalten. Jetzt ist er also in Paris, nicht weniger als in der Kathedrale Notre-Dame, wahrscheinlich lebt er dort, wie Quasimodo, und natürlich völlig frei von seinen Bewegungen. Der Gedanke an Ergaster, der in den Straßen von Paris gefallen war, jagte ihm einen Schauer über den Rücken. Als ob das noch nicht genug wäre, arbeitet auch Bardes' Enkelin im selben Gebäude. Ist das eine die Erklärung des anderen? Alba Longa glaubt das nicht, aber tatsächlich ist es eine Alternative, die nicht ausgeschlossen werden sollte. In jedem Fall sind die junge Frau und auch die Lehrerin in Gefahr. Es ist die Wahrheit. Und ich kann die Situation in alle Richtungen wenden, im Moment sehe ich nicht, wie ich ihnen helfen kann, zumindest offiziell. Derzeit gibt es keine Rechtsgrundlage, um ihnen Polizeischutz zu gewähren. Das Einzige, was man tun kann, ist, einen ständigen telefonischen Kontakt mit ihnen zu halten.

Aber wer kann der reiche, sehr mächtige und sehr geheime Beschützer dieses vorsintflutlichen Monsters sein? Denn aus der Antwort auf diese Frage könnte ich vielleicht Aufschluss über die aktuellen Aktivitäten und möglichen Projekte geben, an denen er beteiligt sein könnte.

Wer kann diese Person oder Organisation sein und welche Interessen hat sie?

Auf der Seite seiner ehemaligen Arbeitgeber gibt es keine Überlebenden, das Ehepaar Roche und ihr Anwalt und Faktotum Ugo Dumon waren getötet worden - und das auf sehr professionelle Weise. In der Folge war ihm in dieser kleinen Mafia, die sie gegründet hatten, niemand anderes anvertraut worden, auch nur das geringste Quäntchen Macht.

Was die rivalisierende Familie, die Bardeaus, anbelangt, die nach dem gleichen Verfahren strukturiert war, so traute er ihnen eine solche Professionalität nicht zu, weil viele Köpfe fast gleichzeitig rollten. Alles sauber, ohne die geringsten Spuren zu hinterlassen. Es scheint, dass die Operation massiv organisiert wurde, als Gegenspionage oder Anti-Terror-Aktion, d.h. von Spezialkräften und mit den Mitteln eines Staates durchgeführt.

Die Schlußfolgerung war beunruhigend, denn sie schien zu der Hypothese zu führen, daß sie als Vergeltung für die systematische und perfekt orchestrierte Fälschung von Kunstwerken eliminiert worden waren, die die bevorzugte Anlageform der internationalen Plutokratie gefährdet hatte, eine neue Währung selbst, die nicht nur die interessante Eigenschaft hat, niemals zu entwerten, sondern seinen Wert sichtbar zu steigern.

Kurz, sie beseitigten die Verantwortlichen für die unerträgliche Untat, ihre geistigen Urheber, aber Ergaster war nichts weiter als eine Schachfigur, ein skrupelloser Söldner, ein Handwerker, der sich daher unter jedermanns Befehl stellen kann, vorausgesetzt, er kann ihn mit dem Fleisch versorgen, das er braucht, die Morbidität, so langsam wie möglich zu töten und das Beste aus dem Leid zu machen, das dem Opfer zugefügt wurde.

Es ist nicht abwegig zu glauben, dass die Mörder ihrer ehemaligen Arbeitgeber beschlossen haben, sie wiederzuerlangen, um sie zu ihrem eigenen Vorteil zu nutzen. Tatsächlich deutet die Art und Weise, wie sie es taten, auf sie hin. Das Geld, das zunächst für ausgeklügelte und sehr teure Operationen ausgegeben wird, um dann rechtliche Barrieren niederzureißen und Anwälte zu bezahlen, an denen höchstwahrscheinlich auch die höchsten Ränge der politischen und juristischen Macht beteiligt sind, trägt ihre Handschrift und ist fast überzeugend dafür, wer dahinter steckt und wer nun diese beängstigende Tötungsmaschine unter seinem Kommando hat.

Das Paradoxe an diesem Fall ist, dass man wenig oder gar nichts gegen sie tun kann, außer, wenn die Umstände günstig sind, den Schlag im letzten Augenblick zu stoppen. Sie haben alles, sie dominieren alles, sie gehen rein und raus, wo immer sie wollen. Noch besser ist, dass sie nicht ein- oder aussteigen müssen, weil sie bereits drinnen sind. Sie können nicht untersucht oder auch nur in Frage gestellt werden. Wer dies tut, ist, wenn er eine Privatperson ist, *ipso facto als* Verschwörer qualifiziert, was heute fast ein Verbrechen darstellt, und wenn er Beamter ist, kann er sich seines Amtes enthoben oder im geringsten dazu verdammt fühlen, die Mülleimer des Amtes zu leeren, das er früher leiten wollte.

Tynianov versuchte, sich in ihre Lage zu versetzen und so zu denken wie sie. Der erste gedankliche Schritt liegt auf der Hand. Was sie am meisten beunruhigt, ja sogar wütend macht, ist diese permanente Revolte, die droht, zu einer Revolution zu werden und sich in die ganze Welt zu exportieren. Diese Gallier, die sich jeder Veränderung widersetzen, sind aufgewacht. Endlich haben sie verstanden, was auf sie zukommt. Entweder geben sie den Rechten, die ihre Vorfahren erworben haben, völlig nach, oder sie werden durch Menschen ersetzt, die aus weniger privilegierten Kontinenten stammen und diese Rechte nicht einmal kennen. An diesem Punkt ist es bereits offensichtlich, dass wir die Industrie verlagert haben, um sie zu umgehen und so einen Potosí an Löhnen zu sparen, aber jetzt greifen wir auch den tertiären Sektor an, den letzten, den sie noch haben, und wir können ihn nicht oder nicht vollständig verlagern, so dass wir uns für den letzten Krieg wieder gegenüberstehen. Dieser Krieg jedoch, als sie sich ihrer Lage bewusst wurden, wurde zur entscheidenden Schlacht. Die Schlacht von Harmagedon.

Bisher hat sich alles durch seine eigene Trägheit, durch sein eigenes Gewicht entwickelt. Die Schwierigkeit besteht darin, zum nächsten Schritt überzugehen. Was ist zu tun? Was sind sie bereit zu tun?

Die Erfahrung, die die Geschichte bietet, ist, dass sie alles tun können. Wenn das Geschäft hässlich wird, oder wenn sie einen Plan zu Papier gebracht haben, der ihnen viel Geld einbringen kann, das Einzige, woran sie interessiert sind, der einzige Treibstoff, der sie arbeiten lässt, dann sind sie nicht kalt im Auge. Und sie können das gesamte Fleisch auf den Grill legen, ohne Rücksicht auf die Kosten.

Nun, was kann materiell das Gegenoffensivprojekt sein, das in diesem Stadium zweifellos bereits definiert ist? Wie kann man diese verwundete Bestie ablenken, zu der die Menschen aufgrund des Schmerzes, der sie quält, geworden sind? Eine andere, stärkere Ursache erfinden, die sie zusammenbringt, wie z.B. einen Krieg, wie es *in der Vergangenheit* bis zum Überdruss geschehen ist?

Aber konzentrieren wir uns auf den vorliegenden Fall. Das heißt, Ergaster. Welchen Sinn hat es, in *Notre-Dame zu Gast zu sein?*Und wie kommt es, dass die Kirche, ihr angestammter Feind, dies zugelassen hat? Ist es möglich, dass sie sich dessen nicht bewusst ist?

VIII

Bemoz und seine Leutnants sowie sein Einsatzteam und andere Mitglieder seines Gefolges hatten für die Dauer der Operationen in dieser Hauptstadt einen Palast am Stadtrand von Paris als Wohnsitz zugewiesen.

Er saß allein auf der Veranda seiner vorübergehenden Residenz, vor einem *Pantagruueltisch, der* mit einer blendend weißen Tischdecke bedeckt war, und verschlang das Mittagessen, das sein persönlicher Koch, der ihn auf all seinen Reisen durch die fünf Kontinente begleitete, an diesem Sonntag für ihn zubereitet hatte. Die Kellner kamen von Zeit zu Zeit, um die leeren Teller sowie die Berge von Dornen und Knochen zu entfernen, die der Koloss beiseite gelassen hatte.

In der vollkommenen Stille des Herrenhauses wurde nur das singende Orchester der geflügelten Bewohner des dichten Dschungels geduldet, der von dem Garten gebildet wurde, der das Hauptgebäude umgab.

Von Zeit zu Zeit kam ein Diener in Livree, um den Becher zu füllen, der nie leer sein durfte. Zwischen dem Kommen und Gehen war der Diener damit beschäftigt, die verschiedenen Flaschen zu entkorken, Weiß- oder Rotwein, immer von den besten und teuersten Weinen, nach dem festgelegten Programm. Schließlich wurde eine Flasche Champagner, deren Wert den Monatslohn eines Arbeiters überstieg, im Kühlschrank gekühlt und wartete darauf, zum richtigen Zeitpunkt für das raffinierte Dessert geöffnet zu werden.

Während Bemoz' kräftige Kiefer die verschiedenen Köstlichkeiten mit der Kraft und Genügsamkeit einer hydraulischen Maschine kauten, grübelte sein Gehirn über die neuesten Ereignisse nach.

Die Idee, die notorische Abneigung des Erzpriesters gegen Viollet-le-Duc auszunutzen, hatte sich als brillant erwiesen. Das Ergebnis war etwas Ungewöhnliches, Undenkbares, scheinbar

Widersprüchliches und sehr Profitables. Eingefleischte und erbitterte Feinde, die für eine gemeinsame Sache zusammenarbeiten. Natürlich pünktlich und vorübergehend, außergewöhnlich.

Der Erzpriester war ein unnachgiebiger Verhandler gewesen, er hatte kurz gefeilscht, sowohl über die formelle Verpflichtung des Staates, nach einem genauen Plan wieder aufzubauen, als auch über die anschließende Reaktion der Kirche, kollaborativ, ja, aber nur bis zu einem gewissen Grad und zeitlich begrenzt. Die Hauptsache aber war ihm klar, daß er nicht zum Himmel schreien und heiß zum Kreuzzug rufen würde. Wie auch immer, den Hauptkopf des Tieres, wenn auch nicht den einzigen, kontrollieren wir ihn. Wenn sie sich entschließen würden, einen Teil der Bedingungen zu verletzen, würden sie nicht sehr weit kommen.

Jetzt ist alles geregelt. Um diese tausend Jahre alten, fast versteinerten Balken zu verbrennen, wurde ein spezieller Brennstoff benötigt. Agni hat in seinem Slum bereits einen aus flüssigem Sauerstoff hergestellt und weiß, wie man ihn nutzt. In wenigen Minuten brennt die Decke wie eine Fackel und erhellt den Pariser Himmel bei Sonnenuntergang. Die Statuen von Viollet-le-Duc wurden entfernt, unter dem doppelten Vorwand, für die Leichtgläubigen restauriert und gereinigt zu werden, und um zu verhindern, dass sie mit ihrem Gewicht größere Übel für den Erzpriester und seine Kirche verursachen, wenn sie zusammenbrechen. Es musste versprochen werden, dass sie niemals ersetzt werden würden.

Die Wahrzeichen nicht nur von Paris, sondern von ganz Frankreich sind der *Eiffelturm* und *Notre-Dame.* Wenn die Franzosen diese in Flammen aufgehen sehen, wird es einen nationalen Schock geben, der einer Kriegserklärung gleichkommt. Das ganze Land wird außer Atem geraten und alle anderen Sorgen und Meinungsverschiedenheiten werden in den Hintergrund treten. Der gesellschaftliche Körper wird geeint sein wie eine Kiefer, während er auf die Losungen des Staatsoberhauptes wartet. Abschied vom wöchentlichen Karneval der

Gelbwesten. Die Revolte wird entwurzelt werden, weil niemand mehr auf die Straße geht, um zu schreien, wenn ihm die Luft geraubt wird. Der Rest wird vom Geschick der Politiker abhängen, die übrigens zu gegebener Zeit darüber aufgeklärt werden, wie sie sich zu verhalten haben.

Wenn die Revolution in Frankreich erst einmal erstickt ist, wird sie sofort in der übrigen Welt erlöschen. Ein für allemal müssen seine Meister erkennen, wie viel er wert ist, wie viel er verdient, das Brot, das sie ihm geben, und die wenigen Launen, die sie ihm gewähren, wenn auch teuer.

Es war das erste Mal, dass Bemoz sein neues Spielzeug benutzte, und aufgrund der besonderen Eigenschaften seiner Feuertaufe hatte er ihm den Namen Agni gegeben. Und Agni wird für immer bei ihm bleiben, beschloss er. Es ist etwas Unaussprechliches in dem Indianer, das selbst ihm, dem Tier, das aus der Erde hervorgegangen ist, einen heiligen Schrecken einflößt. Von Anfang an hatte er das Gefühl, dass es für ihn sehr nützlich sein würde. Unter seiner Schiene wird es ihm nicht an Missionen mangeln. Es wäre eine unerträgliche Verschwendung gewesen, wenn ein solches Individuum verloren gegangen wäre.

Sobald seine Mission erfüllt ist, wird er wie die dreckige und gigantische Ratte, die er ist, durch die Kanalisation entkommen, ohne dass ihn jemand beim Verlassen der Kathedrale sieht. Danach holt ihn ein Team ab und bringt ihn hierher, wo ich ihn bis zur neuen Operation in seinen Koffer lege. Es wird jedoch notwendig sein, ihm von Zeit zu Zeit die Nahrung zu geben, die er braucht, ohne die seine Loyalität nicht gesichert werden kann. Dafür gibt es Orte, die viel weiter entfernt sind als dieser, und Feinde, die seiner Fürsorge und Aufmerksamkeit würdig sind.

Nachdem er den Knochen der letzten Keule des Lammes gepflückt hatte, lutschte er geräuschvoll daran und ließ ihn auf der Tischdecke liegen, als wäre es nur ein weiteres Messer, ein ungezügeltes

Schlachtmesser, nahm ein Handtuch und faltete es, wobei er zuerst Mund und Kinn abwischte und einen Teil der Wangen erreichte, die alle eine riesige Menge Fett angesammelt hatten und glühten, als ob die Haut von innen beleuchtet würde. Dann die Hände, genauso klebrig. Danach griff er nach dem Kelch, der wie ein Massenkelch aussah, und leerte ihn auf einen Schlag.

Sofort kam der Kellner mit den Tabletts mit den Kuchen und der Ausgießer mit dem Champagner. Bemoz schluckte sie im Ganzen und trank mehr als eine Kloake. Nach diesem Kellner kam noch einer, dann noch einer, und endlich noch einer, bis ein furchterregender und donnernder Stoß, der des Riesen Gargantua würdig war, diesem *Ballett* von Livreen und Tabletts, Silberbesteck und Gold jäh ein Ende machte und die Aufregung bis in die Nacht hinein einstellte.

Jeder wusste, dass der Oger stundenlang ein Nickerchen machen würde, und dann konnten sie die letzten Knöpfe ihres Hemdes aufknöpfen und aus voller Kehle atmen. Solange der ganze Körper des Gebäudes vor Schnarchen zittert, konnten sie einen guten Moment der Ruhe genießen. Dann muss zum Abendessen alles wieder von vorne beginnen.

IX

Am Sonntag war die Wahrscheinlichkeit, einem Arbeiter aus der Tiefe zu begegnen, nicht sehr groß, und so schritt Ergaster mit großen Schritten und ohne allzu große Vorsichtsmaßregeln durch das dunkle Labyrinth der Unterwelt vor. Seine erstaunlichen unteren Gliedmaßen sowie seine Kenntnis der Umgebung erlaubten es ihm, sich mit einer beträchtlichen Geschwindigkeit zu bewegen, die für den Laien unvorstellbar war, so dass praktisch ganz Paris in seiner Reichweite lag. Von Zeit zu Zeit streckte er sozusagen den Kopf heraus und hielt Ausschau nach Beute.

Eine junge amerikanische Touristin, die in der U-Bahn nach ihrer Korrespondenz suchte, erhielt über ihr Handy zu viele Nachrichten von ihrem Freund und konnte nicht antworten. Oft blieb sie einige Schritte vor dem Ziel stehen und fiel immer weiter hinter die Gruppe zurück, die mit ihr an dieser Station abgestiegen war. Am Sonntagmorgen gibt es weniger Reisende und die verschiedenen Pakete, die sich bilden, werden leichter verteilt und verteilt. Sie war so erstarrt in dem, was sie tat, daß sie nicht bemerkte, daß hinter ihr ein unverhältnismäßiger Riese stand, der sich mit außerordentlicher Geschwindigkeit näherte, wenn auch mit großer Tarnung. Plötzlich bedeckte ein feuchtes Tuch seine Nase und seinen Mund. Sie hatte nur Zeit, ein Wort zu sagen, Chloroform, bevor sie das Bewusstsein verlor.

Ein Betrunkener urinierte zwischen Mülltonnen in einer Kerbe, die mit dem Hinterzimmer eines Restaurants verbunden zu sein schien. Eine Seitentür, die sich von derjenigen unterschied, welche die oben erwähnten Räume verband, wurde geöffnet, um der unregelmäßigsten und unheimlichsten Gestalt Platz zu machen, die die krankhafteste und zügelloseste Phantasie hervorzurufen vermag, nachdem sie eine Kiste Opium geraucht hatte. Die monströse und höllische Art des Gargoyles stand regungslos hinter ihm und wartete auf das Ende der Operation. Als dies geschah, gab er ihm den üblichen Lappen zum Probieren.

Einige der großen Villen der Hauptstadt haben immer noch geheime Tore, die mit dem Abwassersystem verbunden sind. Wer weiß, zu welchen Zwecken sie praktiziert wurden. In der Regel sind sie verschlossen, obwohl es nicht allzu schwierig ist, ein Duplikat des Schlüssels anzufertigen. Wahrscheinlich wissen die letzten Generationen, die sie bewohnt haben, in vielen Fällen nichts von der Existenz solcher Türen, da die Schlösser in der Regel alt sind, was zu beweisen scheint, dass die Besitzer nie durch diese Zufahrtsstraße zum Herzen ihres Hauses gestört wurden.

Man betritt einen feuchten Keller, in dem sich Wiegen, Puppen, Spielzeug aller Art, die mehr als hundert Jahre alt sind, altmodische Kleider, klapprige Möbel, halb von Ratten gefressene Fotoalben, Nähkästchen, Figuren, Papiere aller Art, die von den Nagetieren aus ihren Kisten geholt wurden, stapeln. Du steigst ein paar Stufen hinauf und erklimmst eine einstufige Zivilisation, indem du den Keller erreichst. Alles, was Sie tun müssen, ist, eine Tür ohne Riegel, ohne Schließmechanismus zu drücken; Es ist eine Tür, die für diejenigen gedacht ist, die zu Hause sind, für alle, obwohl es notwendig ist, einen gewissen Abenteuergeist oder eine bemerkenswerte Dosis Nostalgie zu besitzen, um sie zu benutzen. Dieser neue Raum verfügt bereits über ein schummriges orangefarbenes elektrisches Licht, das nur sporadisch den Hausherrn einschaltet, um bei besonderen Anlässen Neuerwerbungen zu platzieren oder ein Sühneopfer zu entfernen. Eine weitere Treppe, diesmal mit Balustrade, eine neue Schwingtür und schon gelangt man in die Küche des Hauses.

Ergasters feines Ohr hört in der Ferne, über seinem Kopf, eine leise Melodie, die mit dem Klavier gespielt wird. Außer Akkorden erkennt sein Radar nichts anderes. Verstohlen stößt er die nächste Tür auf, dann ertönt eine junge Frauenstimme. Der Inder Ergaster weiß zwar nicht, dass es sich um ein Schubert-Lied mit dem Titel *"Ort der Ruhe" handelt,* aber er liebt es. Er liebt vor allem die frische Stimme, zwischen Verjus und aufkeimender Sinnlichkeit.

Ekstase schreitet er durch einen langen Korridor auf die Treppe zu, an deren Ende er die ersten Stufen erblickt. Es ist niemand sonst zu Hause. Er weiß das. Es ist an der Zeit, dass alle aufstehen und nicht das geringste Zeichen des Lebens erkennen, außer dieser jungfräulichen Stimme eines Engels, der durch diese niedrige und traurige Welt geht. Ein Engel ist alles, was ein Dämon braucht, er ist der Gipfel, der Gipfel, die überfließende und glückliche Höhe dessen, was er in seinen wahnhaftesten Träumen zu fragen wagte.

Im letzten Flur wurden die Klaviertöne mit außergewöhnlicher Klarheit erzeugt, sonor, metallisch, und die Stimme, anstatt sie zu hören, hallte sie in seinem Schädel mit, berauschend, aufregend, essbar, magnetisch und radioaktiv. Eine gewisse Morddrohung hätte ihn nicht aufhalten können.

Mit unendlicher Vorsicht drehte er an der Türklinke. Der Strom der Stimmen hörte nicht auf, im Gegenteil, er floß immer freier, leichter, beflügelter schon. Er drückte leicht, bis ein kleiner Spalt zu sehen war, auf den er sein Auge richtete.

Wenn die Stimme die eines Engels war, dann war das, was er sah, der Rest des Engels, der ganze Engel in einem sterblichen Körper. Eine sehr schlanke junge Frau, nicht mehr als achtzehn Jahre alt, golden, lockig, von Kopf bis Fuß wohlgeformt, nur zwei der raffiniertesten und sinnlichsten Unterhosen tragend, weil sie gerade aus dem Bett gestiegen war.

Es war Adele. Ihre Eltern hatten darauf bestanden, dass sie sie in ihre zweite Heimat in der Normandie begleitete, um das Wochenende mit ihrer Familie zu verbringen, wie sie es oft taten. Aber diesmal war sie lieber in Paris geblieben, um den Geburtstag einer Freundin zu feiern. Es war schwierig, sie zu überzeugen, denn auch die Dienstboten hatten die Erlaubnis erhalten, zu gehen. Das Mädchen war so hartnäckig, dass sie am Ende nachgaben.

Für Ergaster war es nicht das Mädchen, sondern seine beste Beute. Deshalb bewegte er sich sanft wie eine Feder, verstohlen wie ein Marder in der letzten Phase der Jagd.

Auf dem Klavierteller sah sie, dass sich eine schwarze Wolke abzeichnete, der Schatten eines Raben, der die Flucht ergriff, und der Text des Liedes wurde zu einem Schrei verzerrt, der von einem Lappen übertönt wurde.

Diesmal trug er kein Chloroform, aber Ergaster ließ sie nicht schreien. Halb mit ihrer herkulischen Kraft, halb durch den Schrecken, der sich auf sie übertrug, ließ sich das Mädchen knebeln und in Handschellen legen, ohne auch nur ein einziges Stöhnen auszustoßen angesichts dieses schrecklichen Alptraums, der aus einer Parallelwelt entstand.

X

Am Montag betraten Clara und Alba wie geplant getrennt die Kathedrale. Letzterer wusste genau, wie sich ihr Tag entwickelte, und sie hatten sich darauf geeinigt, dass es in einem ersten Schritt das Beste und fast Einzige war, was sie tun konnten, dass er von außen beobachtete, was um die junge Frau herum geschah, ohne dass ihn jemand mit ihr in Verbindung brachte.

Während Clara, wie es bei allen üblich war, in die Restaurierungswerkstatt ging, bevor er seine eigene Arbeit bei sich zu Hause wieder aufnahm, um Kaffee zu trinken und Eindrücke auszutauschen, machte Alba die erste Runde der Inspektion des Gebäudes.

Wie das Mädchen befürchtet hatte, zog ihr Stilwechsel, wenn auch nicht übertrieben, die Aufmerksamkeit aller auf sich, doch nur die beiden Frauen in der Gruppe wagten es, sich zu äußern. Alles sehr lobend und feiert den willkommenen Zuwachs und die Verbesserung ihrer Weiblichkeit. Die Männer nickten und lächelten still, zumindest die Laien. Als Reverend John Temple Graves eintrat, wechselte das Gespräch auf das Thema und die Gruppe zerstreute sich schnell.

Alba setzte sich auf eine Bank, von wo aus er sah, wie Klara ins Kirchenschiff zurückkehrte, zu einer Kapelle zu seiner Rechten ging, auf das Gerüst kletterte und sich an die Arbeit machte.

Was die aufeinanderfolgenden Wellen von Touristen betrifft, die die Dünung dieses Morgens ausmachten, gab es nichts Ungewöhnliches zu berichten, es gab viele, die, nachdem sie stundenlang durch die Straßen von Paris gelaufen waren, in der Kathedrale angekommen waren, auf einer der Bänke saßen, um sich auszuruhen, und gleichzeitig die Frische, die Gelassenheit und den künstlerischen und architektonischen Schwindel genossen, der dort eingeatmet wurde. Deshalb erregte die Anwesenheit von Alba, die ebenfalls saß, nicht die Aufmerksamkeit von irgendjemandem.

Clara hatte es natürlich bemerkt, aber sie versuchte, nicht in seine Richtung zu schauen und konzentrierte sich schließlich auf ihre Arbeit.

Die Zeit verging und nichts Ungewöhnliches geschah. Die Besucher gingen ihren Geschäften nach, nur wenige bemerkten die Anwesenheit der Restauratorin und sahen ihr eine Weile zu, obwohl sie bald müde wurden und weiter gingen. Es war auch normal.

Alba blickte auf, erst nach dem Oberlicht, dann nach oben. Er fragte sich, ob es dort oben, versteckt in einem Loch oder einer Form, kein Guckloch gab, um zu beobachten, was darunter vor sich ging. Es war unmöglich, das zu wissen.

Ihm war aufgefallen, dass sich hinter ihm, im Atrium, Gruppen bildeten, die von Zeit zu Zeit von einem der Türme absorbiert wurden. Er schloß daraus, daß der Besuch auf dem Dach des Gebäudes begonnen hatte. Da er schon lange auf der Bank saß und nichts Besonderes passiert war, beschloss er, den Rundgang selbst zu machen und mit eigenen Augen den Teil des Gebäudes zu beobachten, in dem sich sein Erzfeind aufhalten konnte.

Er warf Clara einen letzten Blick zu und sah, daß sie ganz in ihre Aufgabe vertieft war. Er stand auf und ging zum richtigen Ort, bezahlte seine Führung und wartete, bis er an der Reihe war.

Von oben kann man einen herrlichen Blick auf Paris genießen, wenn man in die Ferne blickt; schwindelerregend bei genauem Hinsehen, am Fuße der Kathedrale und der Nachbargebäude. Alba interessierte sich jedoch mehr für das Innere, das direkt unter dem Dach. Man zeigte ihnen die Glocken, den Korridor der Chimären, den Mechanismus der Uhr, aber Albas Blick schweifte zu dem, was um sie herum war. Er bemerkte die Anwesenheit vieler Arbeiter mit Helmen, die kamen und gingen und mit ihren Maschinen viel Lärm machten. Nachts, so folgert er, muss es ein ziemlich ruhiger Ort gewesen sein, aber tagsüber schien er unbewohnbar. Darüber hinaus ist es unmöglich, persönliche Gegenstände unbemerkt zu lassen. Das war zumindest sein erster Eindruck. Schlief Ergaster nachts in diesem Teil des Gebäudes, so musste er am Morgen sein gesamtes Hab und Gut mitnehmen. Es sei denn, es hat eine Kaution oder reduziert mit der Möglichkeit, es tagsüber zu sperren. Aber welches Interesse kann es mit sich bringen, ihn dort schlafen zu lassen? Können die Menschen, die so viel bezahlt haben, um ihn wieder zum Leben zu erwecken und ihm seine Freiheit zurückzugeben, ihn nicht diskret in einem weniger spektakulären Teil der Stadt beherbergen? Es sei denn, er hat mit ihnen Schluss gemacht... Obwohl mir das unwahrscheinlich erscheint. Ergaster ist eher in der Lage, ihnen einen Gefallen zu tun, und seine neuen Vorgesetzten sind zu mächtig, um solche Unhöflichkeiten zu akzeptieren.

Vielleicht gehen wir von einem anfänglichen Irrtum aus, der wahrscheinlich von Victor Hugos Roman beeinflusst ist, nämlich von der Tatsache, dass Quasimodo, körperlich deformiert, wie Ergaster, hier lebte, es ist möglich, dass dies uns fast unbewusst zu der Annahme veranlasste, dass letzterer es auch tut. In der Nacht, in der Clara ihn sah, scheint es unverkennbar oder zumindest sehr wahrscheinlich, dass er geblieben ist. Aber das war vielleicht eine Ausnahme.

Meiner Meinung nach ist dies das erste Detail, das überprüft werden muss.

Wie dem auch sei, es besteht kein Zweifel daran, dass Ergaster ein besonderes Interesse an *Notre Dame hat*. Nur sehr wenige Menschen sollten auf die extravagante Idee kommen, in einer Kathedrale eingesperrt zu bleiben, und sei es auch nur für eine Nacht, ohne einen bestimmten Grund zu haben. Warum tat er das? Das ist, nicht mehr und nicht weniger, das Zweite, was es zu klären gilt, oder zumindest in der Lage sein sollte, Hypothesen mit einem Anschein von Plausibilität aufzustellen. Das scheint auf den ersten Blick eine mühsame Aufgabe zu sein.

Einer der Arbeiter, der einen Helm und eine phosphoreszierende Weste trug, schien nicht gehen zu wollen. Es besteht kein Zweifel, dass er als Wächter dort war, so dass kein Mitglied der Gruppe von sich aus beschließt, den Besuch zu verlängern. Es sei logisch, dass dies der Fall sei, argumentierte Alba.

Zurück im Kirchenschiff setzte er sich wieder auf eine Bank. Clara war immer noch in ihre Aufgabe vertieft. Unten schien alles normal zu sein; Oben gibt es nichts zu berichten, keine kuriosen Details, keine Hinweise, denen man folgen kann, keinen Faden, an dem man ziehen kann. Die Situation dürfte sich hinziehen, ohne dass sich der derzeitige Zustand wesentlich ändert. Es sei denn, er ergreift die Initiative. Lass ihn selbst eine Geste machen. Zumindest, dachte er sich und warf einen schrägen Blick auf Bardés' Enkelin, kümmere ich mich um sie in einer Zeit, in der sie sich ziemlich unwohl fühlt.

Gegen Mittag begann Klara vom Gerüst herunterzusteigen. Alba sah auf seine Uhr. Er wußte, daß die ganze Mannschaft der Gastronomen, begleitet vom Sakristan und vielleicht Bischof Batrachian, sich zum Essen fertig machte, und war auch darüber informiert worden, wo sie es tun würden. Also wartete er, bis Clara sich auf die Suche nach der Gruppe machte, und als sie verschwunden war, zog er in das besagte Restaurant.

In der Tat, an gewöhnlichen Tagen war es ein Ort, der nächste. Am Samstag und an den pompösesten Tagen war es ein anderer; Nicht viel weiter, aber spürbar luxuriöser. Da die soziale Bewegung der Gelbwesten deutlich machte, dass die Massendemonstration am Samstag einen festen und unveräußerlichen Charakter angenommen hatte, hatte Edouard Massa darauf bestanden, dass das Team jeden Tag eine Stunde mehr leistete und an diesem Morgen frei hatte. So holte er am Freitagnachmittag, wenn er die Kathedrale verließ, seine Familie ab, und sie verbrachte das Wochenende in seiner normannischen Residenz, um so die Unannehmlichkeiten zu vermeiden, die durch den Tumult verursacht wurden, ob sie nun in Paris bleiben oder die Hauptstadt am nächsten Tag verlassen wollten. Niemand hatte etwas dagegen, denn allen gefiel die Idee, ein ganzes Wochenende zu verbringen. Der große Batrachianer zuckte mit den Schultern und stimmte es ab.

Von seinem Tisch aus beobachtete Alba, wie sie eintraten. Genau an diesem Tag erschienen nur die Laien, weder der Erzpriester Rektor noch sein Sakristan waren anwesend. Genauso wenig wie der Leiter des Teams, Rev. John Temple Graves. Obgleich letzterer, wie Clara ihm gesagt hatte, nur selten kam.

Sie erweckten den Eindruck, eine eingeschworene Gruppe zu sein, lebhaft und lächelnd. Sie hatten einen reservierten Tisch und wurden sofort bedient. Fast gleichzeitig mit Alba, die fünf Minuten gewartet hatte. Er bestellte einen Salat*, ein Croque-Monsieur, ein* Bier, einen Kaffee und eine Karamellcreme.

Unterwegs hatte er die Zeitung gekauft, und um der Versuchung zu widerstehen, zu viel auf Claras Tisch zu schauen, benutzte er sie schnell.

Aus der Ferne schien es ihm, als ob die Singstimme, wenigstens an diesem Tag, von Frauen getragen wurde, besonders von den beiden jungen Frauen, die übrigens recht attraktiv waren und mit Clara die weibliche Komponente bildeten. Aus dieser Entfernung konnte er nicht alles verstehen. Trotzdem wird sie es ihm in der Wohnung sagen. Seine Aufgabe war es damals, die Insassen der benachbarten Tische zu beobachten, diejenigen, die eintraten, diejenigen, die gingen, diejenigen, die auf dem Bürgersteig vorbeigingen oder die Straße überquerten.

In der Tat wunderten sich Sarah und Roxane immer wieder über die Abwesenheit von Fabrice an diesem Morgen und machten rätselhafte Bemerkungen, die nur sie selbst zum Lachen brachten, obwohl sie offensichtlich andere amüsierten, aber nur Clara konnte etwas verstehen, denn sie wusste, dass die beiden guten Mädchen oben in der Kathedrale die Temperatur so weit erhöht hatten, dass sie dafür sorgten, dass der gute Sakristan einen bedeutenden Teil ihrer jeweiligen Anatomie sehen konnte. Wenn sie also von Krankheit und Fieber sprachen, wußte Klara genau, was sie solchen Ausdrücken beizulegen hatte. Die andern gelangten nur zu einer kryptischen Bedeutung, aber sie waren weit davon entfernt, sich das Spiel vorzustellen, dem sich die beiden jungen Frauen, listig und kokett, hingegeben hatten. Sie schienen nicht die geringste Reue für die Konsequenzen zu haben, die ihre unschuldigen Witze wahrscheinlich nach sich gezogen hatten.

»Möge der arme Mann auf die eine oder andere Weise genießen«, sagte Roxane, »der glückliche Besitzer eines Bettes zu sein.

Ferdinand Couperet, obgleich er etwas von der falschen Zweideutigkeit der jungen Frau verstand, erwiderte auf seine Weise, indem er sich über die peinliche Lage des Sakristans freute:

Es ist immer noch traurig, dass der Unglückliche sein Bett nur dann wirklich zu schätzen weiß, wenn er krank ist.

Einige lachten, andere lächelten, aber sie alle waren in die Geschichte vertieft.

Dann wagte Roxane von ihrem Abenteuer mit dem Sakristan auf den Höhen von Notre-Dame nur zu erzählen, was mit dem roten Pas-par-tout geschehen war und wie frustriert Fabrice diese Tür nicht öffnen konnte.

»Der Schlüssel dreht sich«, wiederholte er immer wieder, »aber die Tür geht nicht auf. Was meinst du?

"Und er hat es mindestens fünf Minuten lang versucht", sagte Sarah. "Er, der sich immer damit gerühmt hatte, Zugang zu allen Dependancen der Kathedrale zu haben, zu den Großen und den Kleinen, den Harmlosesten und den Kostbarsten, sogar zu den Geheimsten, sagte er mit großem Geheimnis. Am Ende musste er aufgeben, aber er fühlte sich sehr entmutigt.

»So wie ich ihn kenne,« bemerkte Edouard Massa, »wird er nicht eher aufgehört haben, als bis es ihm gelungen ist, diese verdammte Tür zu öffnen.

»In der Tat«, bestätigte Ferdinand, »ich habe noch nie einen Mann gesehen, der manischer ist als er.

Clara war fassungslos, ihre Ohren klingelten. Sie hoffte, sich zu irren, aber sie konnte nicht umhin, ein finsteres Konglomerat schwarzer Wolken über dem Kopf des unglücklichen Sakristans schweben zu sehen. Sie hoffte, dass es sich nur um ihre Besorgnis handeln würde und dass Fabrice am nächsten Tag oder nach zwei Tagen in der Genesung von einer Grippe wieder auftauchen würde, immer noch etwas geschwächt durch Antibiotika, aber gesund und munter. Für diese letzte Möglichkeit musste sie jedoch eine wirkliche geistige Anstrengung unternehmen, um eine gewisse Konkretheit in ihrem Gehirn zu erhalten, aber sie neigte dazu, sich selbst zu verrenken und zu verblassen.

Alba sah sie aus der Ferne zurückgezogen und düster. Er spürte, dass sie etwas beunruhigte oder beunruhigte. Er würde noch den ganzen Nachmittag warten müssen, um es herauszufinden.

XI

Reverend John Temple Graves wartete den ganzen Vormittag, um zu sehen, ob der Sakristan seinen Dienst wieder aufnehmen würde. Er selbst entleerte und ersetzte die Muscheln am Samstagmorgen. Er erfuhr, dass es der Portier war, der die Türen der Kathedrale und der Sakristei öffnen sollte. Schon an diesem Tag war er nicht mit dem Team der Gastronomen in das Restaurant gegangen, was er manchmal getan hatte, aber nicht ohne sie zu warnen, er war nicht in den Speisesaal des Presbyteriums gegangen, ein ungewöhnliches Verhalten für ihn, denn entweder entschied er sich für die eine oder die andere dieser beiden Möglichkeiten, weil er im ersten Fall die Gesellschaft genoss und im zweiten, er schätzte und verstand es, die Professionalität des Kochs von Monseigneur mit den passenden Adjektiven zu bewerten. Das Gleiche geschah am Sonntag. Außerdem besuchte er keine der Messen, obwohl er bis heute immer bei der ersten anwesend war.

Am Montagmittag begab er sich, ehe er sich an Monseigneurs Tisch setzte, in die Wohnung, die der Sakristan am Ende des Presbyteriums bewohnte, und klopfte an die Tür. Schweigen war die Antwort. Er beharrte mehrmals darauf, mit dem gleichen Ergebnis. Er nannte sie beim Namen. Vergebens.

Im Durchschnitt kamen täglich ein halbes Dutzend Prälaten an den Tisch des Erzpriesters des Rektors, je nach ihrem damaligen Beruf, so dass sie nicht immer dieselben waren. An diesem Tag war jedoch außer dem Gastgeber nur Alfred de la Boutière, Zeremonienmeister des Ordens der Ritter vom Heiligen Grab, anwesend.

Reverend John Temple Graves nahm nach der üblichen Begrüßung Platz.

Monseigneur de Sully, sichtlich ungeduldig, trommelte mit den Fingern seiner linken Hand auf den Tisch. Ein Kellner wartete, stehend, in einer Ecke.

»Nun,« donnerte der Erzpriester, »noch heute scheint es, als wolle unser Sakristan ohne Vorwarnung die Gastfreundschaft des Presbyteriums verweigern.«

Er winkte dem Kellner, mit dem Service zu beginnen.

»Ich wollte nur mit Ihnen über ihn sprechen, Monseigneur«, warf der Reverend mit seinem leichten englischen Akzent ein. - Er nahm nicht nur nicht an den Mahlzeiten teil, sondern hat seit Freitagabend auch seine Pflichten nicht mehr erfüllt. Ich dachte, er sei krank, also klopfte ich mehrmals an seine Tür und niemand antwortete.

Der große Batrachianer schien mehr auf seinen Eintritt zu achten als auf die Worte des Priesters. Er antwortete jedoch:

- Zusammenfassend lässt sich sagen, dass er entweder abwesend ist oder bereits gestorben ist.

"Ich teile Ihre Besorgnis", antwortete der Priester. –

Ob es nun Ironie in seinen Worten gab oder nicht, es gab keine Anzeichen oder Gesten auf seinem Gesicht, die es hätten erkennen können. Trotzdem lächelte Alfred de la Boutière diskret. Aber Monsignore entwickelte seine Argumentation:

-Vor dem Essen tendiere ich zur ersten Hypothese. Dann werden wir sehen...

Diesmal war das Lächeln des Zeremonienmeisters viel breiter, obwohl er dafür sorgte, dass der Batrachianer es nicht bemerkte.

John Temple Graves schaffte es, unbeeindruckt zu bleiben.

Ostern rückte näher, und die drei Kleriker begannen, die Einzelheiten der verschiedenen Feste und Zeremonien ausführlich zu besprechen. Obwohl es jedes Jahr das Gleiche war, waren immer wieder kleine Anpassungen notwendig.

Die drei Gerichte, das Dessert und der Kaffee, waren am Tisch des Erzpriesters unabdingbar, unabhängig vom Wochentag, sogar, Gott verzeihe ihm, in der Karwoche. Nachdem das Thema Ostern erschöpft war, wurden andere, die sich auf die politischen und kulturellen Neuigkeiten des Augenblicks bezogen, überprüft.

"Meiner Meinung nach", so Bischof de Sully abschließend, "haben sie in ihrem Eifer, jemanden zu finden, mit dem man umgehen kann, die Frage der Lächerlichkeit aus den Augen verloren. Und nur sie sollten wissen, wie viel Geld es sie kostet, die Situation zu verbessern. An jedem Tag meines Lebens, und ich wage zu sagen, an jedem Tag, der die Annalen der Kirche versammelt, hat es noch nie eine solche Schar unnützer Menschen an der Spitze eines Staates eines zivilisierten Landes gegeben.

»Das Programm, das sie auszuführen haben, ist natürlich unpopulär,« erwiderte der Zeremonienmeister, indem er die Gabel erhob, »aber die Verwüstung, die sie jedesmal anrichten, wenn sie den Mund aufmachen, ist größer, als wenn sie Gesetze gegen das Volk erlassen. Auf parallelen Kugeln müssen sie mit den Zähnen knirschen.

- Die Kosten des Manövers werden wegen der Inkompetenz der Schauspieler mit fünfzig multipliziert worden sein", schätzte der Batrachianer, Träumer.

»Die wahren Helden«, räumte de la Boutière ein, »sind die Korken, denn das Schiff macht überall Wasser, und das liegt nicht nur an der Schwierigkeit der Aufgabe. Sie hatten geglaubt, in diesen unerfahrenen und formbaren jungen Männern ein Allheilmittel zu finden, vor allem, weil sie in der Politik unwissend waren, aber was sie taten, war, die Haut der Winde zu öffnen, die ständig ihre Masken umwarfen und ihre Röcke hochzogen, um unter ihnen zu entdecken, was man nicht sehen wollte.

Der Batrachianer brummte:

- Haare wie Stachelschweinbärte.

- Oder noch schlimmer...

Und beide lachten noch mehr.

Und nun sind sie dazu verdammt, nach vorne zu fliehen.

Und doch müssen wir mit diesen Ochsen pflügen. Das müssen sie sich gesagt haben. Weil es keine Zeit und keinen Ort mehr gibt, um sie zu ersetzen.

-Es ist vor allem die Zeit, die abläuft. Denn Propaganda hin oder her, ein Franzose, der noch einmal über den Stein stolpern würde, um für den derzeitigen Bewohner des Élysée-Palastes zu stimmen, hätte zwangsläufig ein psychisches Problem. Unabhängig davon, ob es zu denen gehört, die oben oder unten sind. Aus unterschiedlichen Gründen, versteht sich.

"Noch mehr Wahnsinn gäbe es bei denen, die am Ende eines jeden Monats eine Gehaltsabrechnung erhalten und weiterhin für ihn stimmen, wenn auch nur in der zweiten Runde, um den Betrug des republikanischen Paktes zu respektieren", erklärte De la Boutière.

-Wie auch immer, mit ihrem Brot werden sie es essen. Es liegt zum Teil in unserem Interesse, was sie tun. Was uns nicht passt oder was uns nicht gefällt, werden wir zu gegebener Zeit lösen.

Der Großbatrachianer schien die Sache zu regeln, denn die beiden Prälaten achteten nur darauf, mit dem Dessertlöffel gewissenhaft die köstliche Schokoladenmousse zu pökeln, die der Leibkoch des Erzpriesterrektors so weise zu bereiten vermochte.

John Temple Graves war schon lange am Ende, und der Hotelpage hatte ihm Kaffee serviert, den er in Schlucken trank, den Kopf woanders.

Als kein Gramm der kostbaren braunen Substanz mehr in seinem Becher war, donnerte Monseigneur endlich:

- Kommen wir nun zum Sakristan. Mal sehen, was mit ihm passiert.

Nicht aus diesem Grund hörte der Kellner auf, ihm und dem Zeremonienmeister den üblichen Kaffee zu servieren. Aber der Erzpriester verschwand durch eine Seitentür. Nach einigen Minuten kehrte er mit einem Schlüssel zurück, den er auf die Tischdecke legte, bevor er sich sparsam dem Kaffee aus einer Tasse widmete, die zwischen seinen riesigen Fingern wie Pudding eher wie ein Fingerhut mit Henkel aussah. Am Ende stand er auf:

- Mal sehen, was mit ihm passiert, mit diesem Sakristan aller Dämonen. Ich hoffe, er hat uns nicht zum Sterben getraut. Und das am Vorabend der Karwoche. Was für eine Idee!

Dem Erzpriester voran gingen die drei ins Erdgeschoß hinab, gingen den ganzen langen Korridor hinunter nach hinten, stiegen wieder ein paar Stufen hinauf, so daß jeder von ihnen über sein Übermaß an Menschlichkeit, das bis jetzt ein wenig vergeudet worden war, knarrte, ohne daß es ihm gelang, die Arbeit zu finden, die ihm wirklich paßte.

Und er öffnete freimütig die Tür der Wohnung. Ohne große Zeremonie ging er zuerst vorbei und begann, sie zu überqueren. Die andern folgten ihm schweigend, und alle betrachteten jedes Stück mit Besorgnis.

"Sehen Sie, Reverend, es ist niemand hier. Wahrscheinlich ist er auf eine Sexparty gegangen. Schließlich ist er säkular und hat das Recht...

"Das Bett ist gemacht", kommentierte John Temple. - Er hat hier nicht geschlafen.

- Oder er hat sein Bett gemacht, bevor er gegangen ist... Aber wie auch immer, ich stimme Ihnen zu. Fabrice verbrachte das Wochenende draußen. Er hätte es natürlich verhindern können, aber aus irgendeinem Grund tat er es nicht. Wie ich schon sagte, ist er kein Klausurmönch, das ist sein gutes Recht.

John Temple Graves schien nicht sehr überzeugt zu sein.

-Heute ist jedoch schon Montagnachmittag und er ist noch nicht zurückgekehrt. Es ist sehr seltsam, er hatte das noch nie zuvor getan.

Der Erzpriester nahm die Sache selbst in die Hand.

"Reverend, überlassen Sie es meinen Händen. Letzte Nacht, wenn er kein Lebenszeichen von sich gegeben hat, verspreche ich Ihnen, dass ich die Polizei rufen werde.

XII

Klara hatte sich erboten, nach Hause zu gehen, was ihnen eine gute Gelegenheit geben würde, mit Alba ihren Verdacht über das Verschwinden des Sakristans frei zu besprechen.

- Also, der Schlüssel drehte sich, aber die Tür öffnete sich nicht.

- Ja, so scheint es. Und tatsächlich schienen sie es zu bestätigen. Worauf sie bestanden, war Fabrices Frustration, denn theoretisch sollte der rote Masterpass Zugang zu allem in der Kathedrale gewähren, und der Sakristan war stolz auf dieses Privileg.

Alba hörte zu, den Blick auf die andere Seite der Seine gerichtet.

»Wenn er wirklich frustriert war, weil er die Tür nicht öffnen konnte,« sagte Alba, als er jetzt die schwarze Strömung beobachtete, die sich unter den Bogen des Pont Neuf hindurchschob und rauschte, so würde es mich nicht wundern, wenn er nicht allein zurückkehrte, um mit Zeit und Geduld zu versuchen, das Rätsel zu lösen. Wenn nun der rote Generalschlüssel das Schloss umgedreht hat und die Tür sich nicht öffnete, kann es nur zwei Erklärungen geben...

»Das erste ist, daß die Tür von innen verschlossen war«, erwiderte Klara.

- Das andere ist, dass jemand sie auf der anderen Seite festgehalten hat.

Clara fröstelte, als sie sich die Szene vorstellte.

"In beiden Fällen", fuhr Alba fort, "ist es offensichtlich, dass jemand darin war.

-Das macht Sinn.

- Und dass dieser Jemand wohl das ganze Gespräch belauscht hat, so dass er die mögliche Rückkehr des Sakristans zumindest ahnen und sicher gewarnt wäre.

Clara nickte stumm. Auch Alba blieb lange nachdenklich. Beide wurden von der gleichen Idee ergriffen. Am Ende war sie es, die es ausdrückte:

-Es muss etwas getan werden.

-Was?

-Rufen Sie die Polizei.

Alba blieb stehen und legte beide Hände auf die Brüstung.

"Es ist früh, und es ist spät zugleich", sagte er rätselhaft. –

Intuitiv verstand Clara. Aber sie bat ihn, sich trotzdem zu erklären.

Es ist noch zu früh, weil das, was wir aufgebaut haben, nur eine Hypothese ist, die auf einigen Elementen der Realität basiert.

»Die Gegenwart von jemandem,« erwiderte Klara, »ist ein Beweis. Du hast es selbst gesagt.

- Das stimmt, aber Fabrices Rückkehr ist reine Vermutung. Auch, dass jemand, der sich darin befinden könnte, nicht unbedingt Ergaster wäre, sondern vielleicht ein Angestellter einer der dort arbeitenden Firmen.

- Und warum wurde die Tür nicht geöffnet? »

-Vielleicht, weil er dachte, dass niemand sieht, was drin ist, oder weil er nicht an einem Ort gestört werden wollte, zu dem nur er das Recht hatte, oder so etwas in der Art... Stellen Sie sich vor, Fabrice hat sich einen besonderen Tag frei genommen und ist morgen wieder in der Kathedrale. Keines der Mitglieder des Restaurierungsteams konnte davon wissen...

-Natürlich nicht.

Clara sah ihm in die Augen.

- Und andererseits ist es spät, denn wenn ich Ergaster kenne, hätte Fabrice, wenn er ihm in die Hände gefallen wäre, sagen wir, Freitagnacht oder Samstagmorgen, heute, Montagnachmittag, keine Chance, am Leben zu sein. Ist es nicht?

Alba nickte.

- Ich würde gerne weitere Beweise für Ergasters mutmaßliche kriminelle Aktivitäten sammeln. Treten Sie einen Schritt zurück, um die Situation genauer zu betrachten. Um etwas Ruhe zu haben, zumindest während der Arbeit in der Kathedrale, sollten wir dafür sorgen, dass die Gerechtigkeit diesen Dämon für eine Weile neutralisiert. Im Gegenteil, wenn wir übereilt und zusammenhanglos handeln, könnte er fliehen und sich der Strafverfolgung entziehen, in dem Wissen, dass wir es sind, die ihm wieder einmal all diesen Schaden zufügen. Ideal wäre es, ihn auf frischer Tat zu ertappen, ihn mit der Hand in die Tasche von etwas Ernstem zu stecken und ihn auf *unbestimmte Zeit* verhaften zu lassen. Nur so können wir in Frieden leben, ohne ständig Angst vor einer möglichen Rache des Monsters zu haben.

- Auch ich bin davon überzeugt, dass etwas hinter seiner Anwesenheit in Notre-Dame steckt. Es ist etwas im Gange, und wenn man bedenkt, dass diejenigen, die es aus eigenen Gründen zurückerobert haben, nicht gerade mittellos sind, besteht kein Zweifel daran, dass etwas Großes im Gange ist. Geld und Kriminalität, die wieder in Symbiose arbeiten. Aber was tun?

- Vorerst, um sicher zu gehen, dass er tatsächlich sein Hauptquartier in der Kathedrale eingerichtet hat. Dann werden wir versuchen, den Grund herauszufinden. -

XIII

Ergaster sammelte die verstümmelten und zerfetzten Leichen an diesem dunklen dantesken Strand. Er dachte darüber nach, wie er nach so viel Anstrengung dazu gekommen war, das dem Meister gegebene Wort zu brechen. Seine Genesung war endlos gewesen, dann kam die Rehabilitation, die von einem Schwarm von Ärzten und Krankenschwestern überwacht wurde. Und schließlich der Pakt mit dem Meister, seinen Impulsen nicht nachzugeben, es sei denn, er befiehlt es ihm und in Bezug auf die Opfer, die er vorgeschlagen oder auch nur zur Verfügung gestellt hat. Dieser Pakt war durch eine ungeheure Willensanstrengung erfüllt worden, unterstützt durch die Achtung und Dankbarkeit, die er für den Meister empfand. Aber der verdammt aufdringliche Sakristan zwang ihn, das Fasten zu brechen. Einmal in seinem Besitz, war die Versuchung zu mächtig, zu unbändig, denn außerdem schien der Kerl dafür geschaffen zu sein.

Er glaubte, daß dieses Blut wenigstens das Verdienst haben würde, ihn zu zähmen, wenn auch nur für die Zeit, die nötig war, um seine Mission zu erfüllen, aber es hatte die gegenteilige Wirkung. Was das Blut betrifft, so geschieht das Gleiche wie mit dem Salzwasser des Meeres: Je mehr man trinkt, desto mehr steigt der Durst.

Als es ihm gelungen war, den Leichnam des Sakristans loszuwerden, drang der Impuls mit einem feurigen, gebieterischen und brutalen Atem in seinen ganzen Körper ein. Wieder fühlte er, dass dies seine wahre Seele war, seine Lebenskraft. Und sein Verstand hatte längst genickt und war mit ihr verschmolzen. Auf diese Weise war er ein wahrer Teufel geworden, ein wahrer Sohn Satans, im vollen Sinne des Wortes. So ist es, wenn der innere Wille und der Intellekt gemeinsam mit dem Bösen kommunizieren, es annehmen und annehmen.

Auf der anderen Seite hatte sich alles als so einfach herausgestellt, dass es keinen Grund gab, sich zu berauben. Jetzt wurde jeder Erfolg, den er erzielte, zu einer Explosion unaussprechlicher Freude in seinem Geist, die sich wiederum in Kerosin verwandelte, um ihn zu einer neuen Erfahrung zu treiben. Ein höllischer Kreislauf, aus dem er sich nicht befreien konnte. Nicht einmal die irrationale Angst, seinen Meister zu verärgern.

So viele Verschwundene, sagte er sich jedesmal, wenn er ein weiteres Stück in die Hekatombe legte, würden einen Skandal darstellen. Es wird eine Untersuchung eingeleitet, die bald in einem Notfallmodus Operandi enden wird, der sie schnell hierher bringen könnte. Der Meister würde es verstehen, er ist kein Idiot.

Wenn dies zumindest nach dem Ende der aktuellen Operation geschehe, könne er ihm verzeihen. Vielleicht. Der Meister hatte viel Macht. Und eine Menge Ressourcen. Sobald die Arbeit zu seiner Zufriedenheit abgeschlossen war, spielten die Folgen keine Rolle mehr. Er würde sich darum kümmern, seine Effekte zu löschen und alle Spuren zu verwischen. Mich an einen anderen Ort zu bringen, wo ich in absoluter Sicherheit bin und so in der Lage bin, für das, was in der Zukunft auf mich zukommt, nützlich zu sein.

Der Schrecken, den sie empfanden, ist wie die Glut, die von einer Rauchsäule erzeugt wird, die mit Feuer vermischt ist, einer Nabelschnur, die das *Numen mit* dem Offizianten verband und eine Übertragung der Lebensenergie, der lebendigen magmatischen Substanz ermöglichte, durch die der Priester die Empfindungen des Gottes empfing und erlebte, sein Fleisch mit dem gleichen Brot und Salz nährte wie der Vollkommene. sie zu regenerieren und wiedergeboren zu machen.

Ergaster brauchte in jedem Augenblick diese Ambrosia und diesen roten Nektar, dieses flammende Wasser und dieses mächtige, unkontrollierbare, nahrhafte und erheiternde Brot, das aber nicht sättigt, im Gegenteil Hunger und Unruhe vermehrt.

In Ermangelung eines unmittelbaren Ziels, das ihn in dringendes und dauerhaftes Handeln eintauchen ließ, verfiel Ergaster in dieses

Delirium, in diesen Strudel, der ihn wie ein Wirbelwind mitriss, wie ein echter Tornado einen unbedeutenden Strohhalm trägt. Der Meister hatte sie zu lange in dem dicken und unveränderlichen Öl der Kathedrale mazerieren lassen. Er war nicht in der Lage, dieser Untätigkeit zu widerstehen. Es kam eine Zeit, in der seine Fantasie überschwemmt wurde. Und er konnte und wollte sie nicht unterjochen. Die Tragödie war, dass er seinen Meister fürchtete. Er fürchtete ihn mit jener irrationalen Furcht, gemischt mit Respekt, die aus seiner entferntesten und verborgensten inneren Quelle stammt. Aber der verfluchte Sakristan hatte dieses Gleichgewicht gestört.

Ergaster gelang es schließlich, die Augen aus dem Andenken an den Schaden zu reißen, den er in wenigen Tagen angerichtet hatte, und machte sich schnell auf den Weg, betrunken, bis ins Mark betrunken, wahnsinnig und in Eile, auf die Jagd.

XIV

Maurice de Sully ging am Montagabend allein, um zu sehen, ob Fabrice zurückgekehrt war. Trotzdem hatte er John Temple Graves gegenüber sein Wort nicht gehalten, er hatte nicht die Polizei gerufen. In der letzten Zeit war die Kirche von so vielen Skandalen erschüttert worden, dass man sich über eine Eile geirrt hätte, die nicht ganz gerechtfertigt war und sich auf einen einfachen Sakristan bezog. Wenn diesem armen Bettler etwas zugestoßen war, dann hatte er es verdient, denn tief in seinem Inneren war er nichts weiter als ein armer Teufel. Mit so viel Zeit, die er hatte, seit er hier war, um den großen Fehler zu begehen, und es fällt ihm ein, ihn genau in diesem entscheidenden und ich wage sogar zu sagen, dramatischen Moment zu vollbringen. Was für eine Farce er für uns vorbereitet hat! Ein paar Tage vor dem, was in dieser Kathedrale geschehen wird, ein Ereignis, das die Welt erschüttern wird, und voilà, er schickt uns zur Polizei, nichts weniger, zur Polizei, um seine Nase in jeden Winkel des Gebäudes zu stecken, auf der Suche nach diesem Bettler, den Gott verwirrt. Nein, aber es gibt Menschen, die haben definitiv die Gabe der Gelegenheit!

Irritiert zog sich der Erzpriester in sein Zimmer zurück und schlief trotz allem tief und fest.

Am nächsten Tag wachte er erfrischt auf, ohne im geringsten darüber nachzudenken. Nachdem er das komplizierte Gesicht gewaschen hatte, das von seinem Grundstück stammte, ging er in den Speisesaal, um nach Frühstück und Morgenzeitungen zu suchen. Wie üblich war bereits alles vorbereitet. Er goss sich ein Glas frisch gepressten Orangensaft bis zum Rand ein und trank ihn in einem Schluck. Er füllte sie noch einmal, aber diesmal, bevor er sie wieder in einem Zug leerte, wie er es gewöhnlich tat, mit Schnelligkeit und Entschlossenheit, streckte er die Hand aus und warf einen Blick auf die Schlagzeilen der ersten Zeitung. Er wurde weiß. Die Augäpfel schienen aus ihren Höhlen springen und wie Tischtennisbälle auf den Tisch fallen zu wollen. Alle Zeitungen hatten identische oder ähnliche Schlagzeilen. - Welle des Verschwindenlassens in Pariser Innenräumen. Nicht weniger als ein halbes Dutzend wurden innerhalb von vierundzwanzig Stunden registriert, und die Polizei vermutet, dass es noch mehr sind." Dann las er die Details vor: - Laut den offiziellen Medien hatten sich die Verschwundenen alle innerhalb des angegebenen Aktionsradius ereignet, wenn auch in den heterogensten Szenarien die Straße, die U-Bahn, ein Kino und sogar das Innere eines Privathauses. Noch nie in der Geschichte der Kriminalität wurden solche Aktivitäten verzeichnet. Alle Polizisten in Paris waren in höchster Alarmbereitschaft und es wurde höchste Vorsicht geboten, um sich beispielsweise nicht alleine, an isolierten und einsamen Orten zu bewegen. Die Opfer hatten kein spezifisches Profil. Jeder könnte als gefährdet angesehen werden. »

Monseigneur de Sully war verblüfft. Nicht deshalb verzichtete er darauf, wie immer in einem Schluck das Glas Saft zu trinken und sich das ganze Frühstück über zwischen Brust und Rücken zu stellen, ohne auch nur einen Krümel zu verschwenden.

Dann holte er den Schlüssel zur Wohnung des Sakristans und machte eine letzte Kontrolle.

Wie er befürchtet hatte, war es leer und das Bett so gut gemacht wie am Tage zuvor. Er war nicht zurückgekehrt, der große Mistkerl. Wenn er mich dazu bringt, die Polizei zu rufen und dann nichts passiert, werde ich ihm eine Seife reichen, wie er es sich nicht einmal vorstellen kann... Es wird eingeseift, um ein ganzes Armeekorps zu duschen. Er wird ein ganzes Jahr damit verbringen, die Glocken der Kathedrale zu läuten, manuell, auf altmodische Weise.

Monseigneur de Sully kehrte in den Speisesaal zurück und legte sein Handy vor sich auf die weiße Tischdecke. Schwarz auf Weiß. So war es gespalten und voller Kontraste. Wenn ich anrufe, gefährde ich etwas sehr Großes, eine noch nie dagewesene Operation, und ich laufe sogar Gefahr, den Zorn des eingefleischten Feindes auf mich zu ziehen, der mich des Verrats beschuldigen könnte. Auf der anderen Seite könnte der Plan der Wahren Kirche zusammenbrechen. Und das alles für einen Sakristan! Nein, aber, was für ein Rätsel!

Auf der anderen Seite der Waagschale, wenn ich nicht rufe, kann es sein, dass ich mich unter den gegebenen Umständen sogar auf der Anklagebank wiederfinde, weil ich der Person in Gefahr keine Hilfe geleistet habe. Und wenn der Plan trotz allem seinen Lauf nimmt und sich verwirklicht, könnte eine solche Haltung den Verdacht der Polizei erregen, die den Fall in einer Weise aufnimmt, die dem Feld und dem offiziellen Standpunkt günstig ist.

Es ist schlecht, wenn ich gehe, und es ist schlecht, wenn ich es nicht tue. Was ist zu tun? Denn was auch immer die Umstände sind, du musst immer handeln, besonders wenn jemand irgendeine Autorität hat. Autorität ist Verantwortung. Und wohin wird der Ochse gehen, der nicht pflügt?

Er streckte seine linke Hand nach dem Handy aus. Der Bildschirm leuchtete auf und er wählte den Passcode für das Gerät. Die Polizei ja, wir werden ihn anrufen müssen, aber nicht irgendwen. Er suchte in seinem Repertoire nach der richtigen Person. Vorsichtig ließ er die breite Spitze seines Zeigefingers fallen, der, wenn möglich, drei zusammenhängende Kontakte gleichzeitig hervorrufen konnte. Der richtige Name erschien auf dem Bildschirm, und beim dritten Signal ertönte eine tiefe, tiefe Stimme.

Herr Kommissar Esteban de Velasco, Monsignore. »

XV

Alba saß, wie am Tage zuvor, auf einer Bank, von der aus er Clara sehen und beobachten konnte, was im größten Teil des Kirchenschiffs vorging. Von Zeit zu Zeit drehte er sich um, um einen Blick auf das zu erhaschen, was vor der Haustür geschah. Nach und nach nahm in seinem Kopf der Gedanke Gestalt an, nachts in der Kathedrale eingesperrt zu bleiben, sich irgendwo zu verstecken, um ein für allemal zu wissen, ob das Monster sie während dieser Zeit frequentierte. Wäre dies der Fall, würde die Spekulation nur in eine Richtung gelenkt, sonst in eine andere. Aber er musste Klara davon überzeugen, dass sie ihn nicht begleiten sollte. Offensichtlich war ein solcher Schritt mit einem Risiko verbunden, und er wollte die junge Frau nicht zwingen, ihn zu verlassen. Ein freier Ergaster bedeutete nicht nur für Clara eine Gefahr, sondern auch für ihn. Deshalb musste er seinen Beitrag leisten. Auf der anderen Seite wäre es unlogisch, beides zu riskieren, wenn eines ausreicht, um die gleiche Arbeit zu erledigen. Das wäre eine Verschwendung. Darüber hinaus ist es praktisch, dass einer der beiden draußen ist, um bei Bedarf Alarm zu schlagen.

Wir mussten auch abwarten, wie sich der Fall des Sakristans entwickelte. Und je nach Ergebnis eine neue Schätzung vornehmen, insbesondere unter Berücksichtigung der Folgen, die dies mit sich bringen könnte. Ein Mord in der Kathedrale würde sie zu einem Tatort machen, der ganz oder teilweise versiegelt und streng bewacht wird. Abgesehen davon würde eine solche Situation die Polizei auf die richtige Spur bringen.

Ein Knacken kompakter Absätze und trockener, präziser, martialischer Stimmen unterbrach den Faden seiner Gedanken und Vermutungen. Er drehte sich um und betrachtete eine Gruppe von Individuen, die alle Rugbyspieler der ersten Liga sein könnten, gut gekleidet und noch besser beschuht. Der Anzug passte so gut zu ihnen, dass er die Hand eines berühmten Schneiders anprangerte. Nur die

Farbe des Stoffes war marineblau für alle, bis auf einen, der ihn dunkelschwarz trug. Er war auch der Einzige, der den letzten Knopf seines ansonsten makellosen Hemdes aufgeknöpft und sein Haar ebenso schwarz, fast bläulich lange halten durfte, bis es ihm über die Schultern fiel. Die anderen trugen sie mit einem Pinsel geschnitten. Die Flammen der Kerzen und Lampen, die sich in den Seitenschiffen befanden, entrissen dem dicken Ring mit einem gesetzten Stein, der Alba wie ein Rubin erschien, aber ein Feueropal war, goldene und gerötete Funken aus den Manschettenknöpfen, der Krawattennadel und der Halskette aus massivem Gold. Er war zweifelsohne der Chef.

Unter dem Einfluss des kirchlichen Kontextes hatte Alba ihn sich als weltlichen Jesuiten vorgestellt, bis er unter der aufgeknöpften Jacke den Kolben der Pistole sah. Die Polizei, dachte er. Ohne das zu wissen, war nicht nur die letztere, sondern auch die erste Hypothese wahr.

Sie gingen an ihm vorbei und schlugen mit den Absätzen auf dem Marmorboden. Auch Clara beobachtete, wie sie sich vorwärts bewegten, und wechselte einen ausdrucksvollen Blick mit ihm.

Es konnte nur eines bedeuten. Fabrice hatte sich noch nicht um seinen Posten beworben und keine Nachricht von ihm gegeben. Und jemand hatte ihn bei der Polizei als vermisst gemeldet.

Dieser Jemand erschien sofort am Querschiff, um die Prozession zu begrüßen. Obwohl er ihn nie gesehen hatte, ließ die Identität dieser Figur für Alba keinen Zweifel. Der große Batrachianer, rief er aus.

Auch Clara betrachtete die Szene. Nach dem Erzpriester kam John Temple Graves. Beide schüttelten Kommissar Esteban de Velasco die Hand und führten ihn nach einem kurzen Vorgespräch in die Sakristei. Die Horde Gorillas folgte ihnen aus der Ferne.

An der angegebenen Stelle angekommen, traten nur die ersten drei ein und schlossen die Tür hinter sich. Die andern standen da; Allerdings waren sie ohne die Anwesenheit ihres Vorgesetzten etwas entspannter.

Eine halbe Stunde später kam John Temple Graves heraus und verirrte sich im Querschiff. Der Erzpriester und der Kommissar blieben noch eine Viertelstunde in einem geheimen Konklave.

Endlich öffnete sich die Tür, und der Kommissar erschien auf der Schwelle und winkte einem seiner Leute. Er schreitet in den Eingangsbereich, wo sich das Parkett und die Tür befinden. Nach einer Weile kehrte er mit dem Portier zurück.

Wahrscheinlich, so folgert Alba, war er der Letzte, der ihn, den unglücklichen Sakristan, zu Gesicht bekam.

Die Türen wurden geschlossen, und es vergingen etwa zehn Minuten, bis der Hausmeister durch sie trat, der, obwohl er hinduistischer Herkunft war, äußerst blass wirkte.

Nun würden sie mit der Durchsuchung der Kathedrale beginnen, vermutete er.

Stattdessen marschierten die Orang-Utans zur Eingangstür und verließen die Kathedrale. Der Erzpriester seinerseits isolierte sich wieder in der Sakristei.

Zweifellos, sagt Alba, ziehen sie es vor, diskret zu agieren. Heute Nacht werden sie, außer Sichtweite von Fremden, eine vollständige und gründliche Durchsuchung des gesamten Gebäudes durchführen. Wenn Ergaster noch darin ist oder Spuren hinterlassen hat, werden sie ihn finden oder sich zumindest seiner Anwesenheit bewusst sein.

Der Rest des Vormittags verging, ohne dass es etwas zu bemerken gab. Als Alba gegessen hatte, verließ er die Kathedrale, wie er es am Vortag getan hatte, kaufte die Zeitung, klemmte sie sich unter den Arm und machte sich sofort auf den Weg in den üblichen Raum, denn er wollte sich ihm vor der Gruppe anschließen.

Er setzte sich hinein, rief den Kellner an, gab die Bestellung auf und faltete das Protokoll auseinander. Sein Herz hüpfte in seiner Kiste. Der Fall des Sakristans war in einen anderen, viel umfassenderen Fall eingetreten. Nun hatte er nicht mehr viel Hoffnung auf sein Schicksal.

Die Amtsinhaber hatten einen starken Eindruck auf ihn gemacht, aber der der Polizei würde es nicht weniger sein, wenn sie die volle Wahrheit der Tatsachen erreichte.

Die Gruppe der Restauratoren hielt Einzug. Es wirkte etwas weniger belebt als am Vortag. Obwohl, wie er später erfuhr, sie die Neuigkeiten immer noch nicht kannten. Sie haben sicherlich nur Vermutungen angestellt, die schon ziemlich düster sind, wenn auch noch weit von der Realität entfernt. Diejenige, die ihr am nächsten gewesen wäre, war Clara, aber ihr fehlte noch das Stück, das er besaß und das von der Zeitung verkündet wurde.

Am Ende des Arbeitstages ging Clara zum Treffpunkt.

"Du musst nicht mehr die Polizei rufen", sagte sie. – Jemand ist uns zuvorgekommen.

Statt zu antworten, reichte Alba ihr die Zeitung. Die junge Frau war sprachlos.

- Ich korrigiere, was ich gesagt habe: Jetzt müssen wir mehr denn je die Polizei darüber informieren, was wir wissen.

- Denken Sie daran, dass das, was wir wissen, nichts ist. Wir haben nichts als Mutmaßungen.

- Wir sind sicher, dass Ergaster zur gleichen Zeit in Paris ist, als all dies geschieht. Ist das nicht genug?

- Ich denke, wenn eine Brücke einzustürzen droht, ist dies nicht der geeignetste Zeitpunkt, um zu versuchen, sie abzureißen. Wenn es von selbst fällt, haben wir das Dynamit gerettet. Wenn es am Ende hält, wird es immer Zeit geben, es zu vernichten. Meiner Meinung nach wird die Polizei heute Abend ohne Zeugen eine detaillierte Durchsuchung der Kathedrale durchführen. Wenn Ergaster da ist, werden sie ihn fangen; Wenn er Spuren hinterlassen hat, werden sie nach ihm suchen. Wenn die Ermittlungen zufällig ins Stocken geraten oder in die falsche Richtung gehen, können wir eingreifen, entweder indem wir ihnen die Informationen geben, die ihnen fehlen, oder auf andere Weise. Aber wir sollten nicht Gefahr laufen, alle Boote in Brand zu stecken. Es gibt jedoch einen Polizisten, dem ich vollstes Vertrauen entgegenbringe, im Gegensatz zu dem, den ich heute Morgen gesehen habe.

- Tynianov?

-Natürlich.

»Willst du ihn anrufen?«

-Sofort.

-Lass uns nach Hause gehen. Wir werden ruhiger darüber sprechen.

XVI

Kommissar Tynianov saß im Wohnzimmer seines Zarewitsch-Hauses, umgeben von Zeitungen, die alle auf den Seiten aufgeschlagen waren, auf denen Einzelheiten über das Verschwinden von Pariser berichtet worden waren, als sein Mobiltelefon klingelte.

Der Bildschirm zeigte an, dass es sich um Professor Alba Longa handelte, und er nahm den Anruf sofort entgegen.

- Hallo, Herr Professor. Nach dem Inhalt der heutigen Zeitungen hatte ich auch daran gedacht, Sie anzurufen.

-Guten Morgen, Herr Kommissar. Es gibt etwas, was die Zeitungen noch nicht veröffentlicht haben. Unter den vielen Verschwundenen befindet sich auch der Sakristan von Notre-Dame. »

Tynianov spürte einen Adrenalinschub.

- Erzählen Sie mir im Detail, wie Sie auf die Nachricht aufmerksam geworden sind.

- Das war natürlich Clara zu verdanken. Seit gestern war die Gruppe der Restauratoren, die in der Kathedrale arbeiten, von der unerwarteten Abwesenheit des Sakristans überrascht worden. Offenbar war ein solcher Umstand noch nie eingetreten. Darüber hinaus war er eine allgegenwärtige und unvermeidliche Figur auf seinem Gebiet. An diesem Tag herrschte zwischen ihnen Überraschung vor, nicht Unbehagen. Zwischen Lachen und Witzen erzählten die beiden anderen weiblichen Mitglieder des Teams eine Anekdote, die sich am Freitag während des privaten Besuchs der drei auf der Spitze der Kathedrale zugetragen hatte. Anscheinend gibt es einen sogenannten roten Pass, einen Schlüssel, der jede der Türen im Inneren des Gebäudes öffnet. Nun hatten sie unter dem Dach einen Lagerraum gefunden, der die Aufmerksamkeit des Sakristans auf sich gezogen hatte. Er hatte versucht, die Tür mit dem roten Paß zu öffnen, und obwohl sich das Schloß gedreht hatte, bewegte sich das Brett nicht. Er versuchte es viele Male, aber er konnte es nicht öffnen. Es schien, als sei er zu diesem Zeitpunkt ziemlich frustriert, und nach der einhelligen Meinung würde der Sakristan, akribisch und manisch wie er ist, nicht aufgeben, bis er es irgendwie geschafft hatte, den Raum zu betreten. Manchmal aber ist dieses Zimmer nicht weit von der Stelle entfernt, wo Clara Ergaster gesehen hatte.

- Es ist in der Tat beunruhigend. Die Koinzidenz der Tatsachen, die die Zeitungen heute mit der Gegenwart dieses Themas in Paris heraufbeschwören, gibt Stoff genug, um sich Sorgen zu machen.

»Klara«, fuhr Alba fort, »dachte daran, die Polizei zu rufen. Der Erzpriester und Rektor der Kathedrale, Monsignore de Sully, musste jedoch vortreten, denn heute Morgen wurden wir Zeugen des Eintretens einer Gruppe von Männern, die mit Pistolen bewaffnet waren, und der Erzpriester kam sofort, um sie zu empfangen. Dann schlossen sich der Gastgeber, ein anderer Priester und der Mann, der der Polizeichef zu sein schien, in der Sakristei ein und standen dort fast eine Stunde lang und debattierten hinter verschlossenen Türen. Dann befragten sie einfach den Hausmeister, bevor sie das Kirchenschiff verließen.

-Neugierig...

-Oh wirklich. Ich dachte, es sei eine etwas milde Reaktion der Polizei. Ich erwartete, dass sie das Gelände evakuieren und versiegeln würden, bevor sie eine gründliche Inspektion durchführten. Im Falle eines so emblematischen Ortes wie Notre-Dame werden sie es vielleicht nachts tun, auf eine unendlich diskretere Weise.

- Trotzdem denke ich, dass es in solchen Fällen notwendig ist, alle Mitarbeiter zu versammeln und sie einzeln zu befragen. Nicht nur der Pförtner. Können Sie mir eine Beschreibung des Mannes geben, der die Einheit befehligte?

- Matte Haut, wie die eines Zigeuners, Gesicht mit einem Meißel geschnitzt, lange Haare, die fast blau aussahen, weil sie so schwarz sind. Anzug auch schwarz. Auffallend war auch das Gold, das er trug. Ring mit einem riesigen eingelegten Rubin, Manschettenknöpfen, einer

Krawattennadel und einer Halskette aus dicken Gliedern aus massivem Gold.

- Kommissar Esteban de Velasco. Kein Wunder, dass Bischof de Sully ihn fragte. Er steht nicht nur im Dienst des Staates, sondern auch im Dienst des Vatikans. Kurz gesagt, im Dienste einer präzisen Strömung des Denkens, die den Vatikan, den traditionalistischsten Flügel der Kirche, belastet und fasziniert. Der Fall des Verschwindenlassens wurde jedoch einem anderen Kommissar zugewiesen. Ich werde versuchen, ihn zu kontaktieren, um diese Informationen weiterzugeben. In der Zwischenzeit rate ich zu äußerster Vorsicht. Versuchen Sie, unbemerkt zu bleiben und den Ausgang der Ereignisse abzuwarten. Meiner Meinung nach wird das nicht lange auf sich warten lassen.

-Vielen Dank für Ihren Rat, Herr Kommissar.

- Wenn Sie auf ein weiteres wichtiges Element aufmerksam werden, zögern Sie nicht, mich anzurufen.

-Machen Sie sich keine Sorgen, Herr Kommissar. Das wird natürlich geschehen. »

Tynianov legte das Handy auf den Couchtisch und nahm ein anderes, das direkt daneben lag. Es waren die offiziellen Appelle.

- Kommissar Lefebvre? Tynianov zum Apparat.

-Sagen Sie es mir, Herr Kommissar. Gäbe es nicht zufällig eine freie Stelle in Nizza für einen müden Polizisten aus Paris?

- Es gibt sie, aber nicht in Ihrem Job und Dienstgrad.

- Das ist wirklich schade. Ich nehme an, Sie haben die Zeitungen gelesen...

- Das ist genau der Grund, warum ich dich anrufe. Ich habe einige Informationen gelesen, die für Sie nützlich sein könnten.

- Ich bin ganz Ohr.

- Sie werden sich an den Fall der Fälscher von Nizza erinnern...

-Natürlich.

- Nun, es war ein besonders ruchloser Verbrecher beteiligt. Er ist ein Untertan indischer Nationalität mit dem Namen Nanga Elias. Er ist etwa zwei Meter hoch, und seine wichtigste körperliche Besonderheit ist der Besitz von unteren Gliedmaßen, die viel weiter entwickelt sind als normal, deutlich unverhältnismäßig zum Rest des Körpers. Seine Spezialität: der Tod der tausend Schnitte, eine alte chinesische Folter, die auf diejenigen angewandt wird, die aus einem besonderen Grund zum Tode verurteilt wurden. Er ist ein sehr gefährlicher Sadist.

– Wollen Sie mir damit sagen, daß Sie ihn für einen Verdächtigen im Zusammenhang mit dem Verschwinden dieser ganzen Menschenmenge in Paris halten?

- Die Information, die ich Ihnen zur Verfügung stelle, ist, dass es kürzlich in Paris gesehen wurde, genauer gesagt in der Kathedrale Notre-Dame. Der Informant nannte weitere Details. Der vermisste Sakristan versuchte am Freitag, die Tür einer Mansarde an der Spitze der Kathedrale mit einem Generalschlüssel zu öffnen, scheiterte aber. Der Schlüssel drehte sich, aber die Tür öffnete sich nicht, sagten Zeugen. Dazu kommt die Überzeugung des Informanten, daß der Indianer wenigstens eine Nacht freiwillig in Notre-Dame eingesperrt zugebracht habe. Wir kommen zu dem Schluss, dass der fragliche Raum die Zuflucht des Indianers ist und dass der Sakristan sein Leben verlor, als er versuchte, ihn zu einem anderen Zeitpunkt zu öffnen, und dass er daher in die Hände von Elias fiel.

-Interessant. Können Sie mir die Identität des Informanten nennen?

- Ich ziehe es vor, diese Informationen vorerst zu behalten, da ich Grund zu der Annahme habe, dass sie unter den gegenwärtigen Umständen in Gefahr sind.

- Vielen Dank für den Hinweis, Herr Kommissar. Ich versichere Ihnen, dass ich das Beste daraus machen werde...

-Ich wünsche Ihnen viel Glück. Und im Übrigen, wenn in Nizza ein Kommissarsposten frei wird, würde ich es Ihnen sofort sagen, aber auch hier gibt es viel zu tun...

-Ich wäre sehr dankbar. Meine Frau liebt die Strände rund um Nizza. »

XVII

Bemoz hatte einen hektischen Tag hinter sich. Wie alle anderen, endlich in Frankreich. Die Morgenzeitungen, die noch immer auf dem Arbeitstisch, dem ungemachten Bett und sogar auf dem Boden lagen, hatten seinen dicken Körper erschüttert wie ein starkes Erdbeben. Die Gründe, die er für eine solche Krise hatte, waren natürlich nicht ganz die gleichen, die andere Sterbliche in diesem Augenblick betrafen. Abgesehen davon kam in seinem Fall die Dimension des Ärgers zum Erstaunen hinzu.

Der Zorn von Bemoz war eine tellurische Bewegung, das Brüllen einer Horde, das Rasseln und die Gewalt einer Lawine.

Um diese Uhrzeit war es allerdings schon etwas ruhiger. Er hatte viele Informationen gesammelt, viele Schritte unternommen und viele Befehle erteilt, darunter auch solche, die er an den Innenminister übermittelt hatte. Endlich schien die Situation zumindest vorübergehend unter Kontrolle zu sein, so lange Zeit, um der Kapitaloperation ein Ende zu setzen. Wenn das vorbei ist, werden nicht mehr die Nebenwirkungen, die gerade aufgetreten sind, sein Problem sein, sondern diejenigen, die wie Blutplättchen wirken und Löcher und Wunden bedecken.

Tatsächlich war Agni zu seinen alten Gewohnheiten zurückgekehrt. Und das nicht irgendwie. Der Rückfall war anscheinend rasend und unbändig und spektakulär gewesen. Glücklicherweise ergriff er sofort die ihm auferlegten Maßnahmen. Er hatte beschlossen, daß ein befreundeter Kommissar ernannt werden sollte, der ganz unter seinem Stiefel stand, um den Fall zu leiten, und hatte ihm befohlen, sich viel zu schütteln, um nichts zu tun. Es geht darum, für ein paar Tage eine Nebelwand zu schaffen, die in irgendeiner Weise verhindert, die Tatsachen zu sehen. Auf diese Weise wurde die Situation eingefroren.

Nun müssen wir vier Worte zu diesem hinduistischen Energizer sagen. Damit er nicht glaubt, dass der ganze Berg Oregano ist.

Da klingelte das Telefon.

-Haben Sie Neuigkeiten, Herr Kommissar Lefebvre?

-Ja, Meister. Das letzte Opfer. Ich meine, potenzielles Opfer. Er ist Sakristan. Aber nicht irgendeine Kirche. Von Notre-Dame.

Bemoz wollte außerhalb des engen Kreises seiner engsten Vertrauten nicht die Kontrolle verlieren und musste sich daher sehr anstrengen, um nicht übermäßig zu lästern.

- Der Kommissar von Velasco beabsichtigt auf Bitten des Monseigneur de Sully, die Sache zu gewinnen. Zumindest, was den gesegneten Esel betrifft.

-Keine Sorge, ich denke, wir werden die Dinge ausnahmsweise mit den gleichen Augen sehen... Selbstverständlich leiten Sie weiterhin die Ermittlungen. Lassen Sie de Velasco die Kathedrale untersuchen, obwohl ich annehme, dass er bereits die entsprechenden Anweisungen hat. Diejenigen, die ich ihm gegeben hätte und die sich in keiner Weise von den seinigen unterscheiden sollten.

Am anderen Ende der Leitung herrschte eine kurze Stille.

"Da ist noch mehr, Meister.

-Sich unterhalten.

- Agni wurde nicht nur in der Kathedrale gesehen, sondern, als ob das noch nicht genug wäre, auch identifiziert.

- Wie ist es möglich, wenn er den Befehl hat, sich für nichts in der Welt sehen zu lassen? Gehen Sie nur nachts aus dem Haus und benutzen Sie dafür die Geheimtür.

- Er hatte auch den Befehl, nicht zu töten...

"Das stimmt", musste Bemoz zugeben. – Aber niemand kennt ihn. Er ist ein seltener Kerl, da muss man sich einig sein, auch wenn er der breiten Öffentlichkeit unbekannt ist.

- Tynjanow kennt ihn.

- Tynianov ist, soweit ich weiß, in Nizza.

- Das ist richtig, aber jemand informierte ihn nicht nur über die Anwesenheit des Indianers in der Kathedrale, sondern auch über den genauen Ort, an dem er sich aufhielt, und er wollte mir die Nachricht in aller Unschuld weitergeben. Logischerweise würde er ruhiger schlafen, wenn er Agni hinter Gittern kannte.

- Wer könnte dieser Informant sein? Sowohl die Polizei als auch die Anwälte haben das Recht auf Vertraulichkeit. Trotzdem wäre es ein großer Zufall, der schwer zu akzeptieren wäre.

- Tynianov weigerte sich, seinen Namen zu nennen. Um ihn zu schützen, sagte er.

-Um es zu schützen...

- Das waren seine wörtlichen Worte.

-Sehr gut... Sehr gut. Vielen Dank für Ihren Anruf, Herr Kommissar Lefebvre.

-Immer zu Ihren Diensten.

Er legte auf.

Um es zu schützen... Der Atem könnte zum Beispiel von einem offiziellen Element der Polizei kommen, wie Tynianov und dem Milieu, in dem er sich bewegt, oder er könnte aus dem juristischen Umfeld kommen. Diejenigen, die am meisten Schutz benötigen, sind jedoch... Die Opfer, nicht wahr? Diejenigen, die bleiben, in diesem Fall... Es ist nur eine Vermutung, aber es lohnt sich, die entsprechenden Überprüfungen durchzuführen. Agni lief zwar in einem Aspekt, der seinen Stärken überlegen blieb, was zu befürchten war. In Bezug auf die Diskretionsweisungen verdient er jedoch angesichts seines Hintergrunds ein angemessenes Maß an Vertrauen. Vielleicht hat er den einen oder anderen Fehler gemacht. Aber wenn er zwei Fehler gemacht hat und in mindestens einem gesehen wurde, dann wahrscheinlich deshalb, weil der Zeuge Stammgast in der Kathedrale ist. Zum Beispiel jemand, der dort arbeitet; sagen wir, jemand, der etwas länger im Gebäude geblieben ist als viele Besucher und dabei war, als Agni zweifellos anfängt, sich sicherer zu fühlen und sich ein wenig zu entspannen. Nachdem er den ganzen Tag in diesem kleinen Raum eingesperrt war, ist es verständlich, dass er es kaum erwarten kann, rauszukommen und frische Luft zu atmen.

Bemoz ging hinaus in die Lobby und schleifte mit seinen großen, riesigen Schritten die Parkettplatten. Er betrat den Raum, in dem seine Männer herumhingen, tranken, rauchten und Karten spielten. Er blieb an der Schwelle stehen und winkte einem von ihnen, sich zu nähern. Die übrigens still standen, als sie ihn sahen, als hätte jemand im Film die Pause-Taste gedrückt.

Der Handlanger näherte sich. Bemoz wartete bereits vor dem Raum auf ihn.

- Entdecken Sie, wo sich Clara Bardés, die Enkelin des berühmten Malers, und Professor Alba Longa derzeit befinden. Aktueller Wohnsitz, Beschäftigungssituation, alles, was Sie finden können, was es uns ermöglicht, sie so schnell wie möglich genau zu überwachen.

"Auf Euren Befehl, Meister.

Dann rief er einen anderen an.

- Ich möchte eine Liste aller Personen, die einen zivilen Job in der Kathedrale Notre-Dame haben. Vor allem im Bereich der Kunst.

-Ja, Meister.

Etwa eine Stunde später hatte er die angeforderten Daten auf seinem Schreibtisch. Seine Intuition hatte sich als richtig erwiesen. Es war schon spät, aber er wusste, dass er den Rest der Nacht auf einmal schlafen würde und am nächsten Tag frischer als ein Salat aufwachen würde.

XVIII

Clara und Alba gingen am Mittwochmorgen in die Kathedrale, in der Überzeugung, dass alles auf den Kopf gestellt werden würde, dass die Polizei überall sein würde, jeden Winkel durchsuchen würde, dass das gesamte Personal befragt werden würde, natürlich auch die Restauratoren. Sie rechneten damit, dass die Geschichte mit dem roten Generalschlüssel und dem Slum unter dem Dach wieder auftauchen würde, und vor allem, jetzt, da Kommissar Tynianov die Pariser Polizei über Ergasters Anwesenheit informiert hatte, hofften sie, dass die Ermittler die entsprechenden Fragen stellen würden.

Aber nichts entsprach dieser Erwartung. Die Atmosphäre blieb die übliche: eine Flut von Touristen, die Schlange standen, um hineinzukommen, langsam die Seitenschiffe besuchten, einige kletterten auf die Türme, um die Spitze zu erreichen, und machten sich dann auf den Weg in die Straßen von Paris, um einen sonnigen Tag zu genießen. Drinnen keine Spur von der Polizei.

Alba, skeptisch gegenüber dem Ergebnis, versuchte es mit einem Zug. Er verließ die Kathedrale und aktivierte einen Kontakt auf seinem Handy.

Eine weibliche Stimme, noch schläfrig, flüsterte:

- Hallo Alba. Wie verläuft Ihr Aufenthalt in Paris?

— Es stellt sich heraus, dass es ziemlich hektisch ist. Ich hoffe, ich habe dich nicht geweckt.

-"Du hast es ein wenig verpasst. Ich war beim Frühstück.

-"Hör zu, ich hätte einen Gefallen für dich.

-"Ich höre zu.

"Glauben Sie, dass es angesichts der Lage Ihres Mannes möglich wäre, diskret Informationen über den Stand der Ermittlungen zum Verschwindenlassen in Paris zu erhalten?" Er muss sich sicherlich über Details im Klaren sein, die der Öffentlichkeit noch nicht bekannt sind.

"Ihre Anfrage erstaunt mich. Es muss dich doch irgendwie angehen, oder?

"Du hast recht, Laure. Aber ich kann Ihnen nicht alles am Telefon erzählen... Sagen wir einfach, dass ich mich beruhigter fühlen würde, wenn der Täter hinter Gittern säße.

"Ich verstehe. Ich kenne meinen Mann, und ich weiß, wie ich mich ihm nähern muss. Ich rufe dich zurück, sobald ich etwas Neues bekomme, okay?

"Vielen Dank, Laure. Küsst.

— Küsse. Pass auf dich auf. »

Alba lächelte. Wenn ein Generalsekretär des Justizministeriums nicht weiß, was vor sich geht, wer sonst? Beruhigt durch diesen Austausch, kaufte Alba eine Zeitung am üblichen Kiosk und setzte sich auf die Terrasse eines Cafés, um sich in die Details der Artikel über das Verschwinden zu vertiefen. Er verglich die Informationen, die er der Presse gab, mit den Informationen, die er hatte, und stellte fest, dass die Polizei anscheinend tastete. Sie hatten einen Verdächtigen im Visier, gaben ihn aber nicht bekannt. Alba wusste, dass das einfache Porträt eines zwei Meter großen Hindus mit übergroßen Beinen und einem freizügigen Gesicht ausgereicht hätte, um die öffentliche Meinung herauszufordern.

Lassen Sie die Polizei ihre Arbeit für eine Weile machen, oder tun Sie es nicht, man weiß ja nie, und schauen Sie sich die verschiedenen Aspekte des Problems an. Es gab einen roten Generalschlüssel, perfekt. Ergaster gehört es, daran besteht kein Zweifel. Der rote Pass öffnet alles im Inneren des Gebäudes. Oder, mit anderen Worten, alle Abhängigkeiten, die zur katholischen Kirche gehören, wo Schätze von hohem symbolischem und sogar mystischem Wert aufbewahrt werden, ganz zu schweigen vom finanziellen Wert. Nach Clara gehört die Kruste, also die Außenmauern, dem Staat. Es ist also ein anderer Schlüssel notwendig, sagen wir, ein konsensualer Schlüssel, ein Konkordatschlüssel. Daher kann dieser rote Pass die Außentüren der

Kathedrale nicht öffnen. Das liegt auf der Hand, denn es gibt keinen Vergleichspunkt zwischen den Schlössern dieser gewaltigen Türen, deren Antike bis ins Mittelalter zurückreicht, und dem Schloss eines Raumes, der sich unter dem Dach befindet. Und übrigens, diesen roten Pass, der so viele geistliche Güter aufbewahrt, darf die Kirche nicht sehr gewillt sein, ihn irgendjemandem anzuvertrauen. Aber Ergaster besitzt es, das ist offensichtlich.

So hat Ergaster Zugang zu allem, wenn er will, im Inneren der Kathedrale, aber wenn sie einmal geschlossen ist, kann er sie nicht mehr verlassen. Zumindest, wenn wir uns an die bekannten Fakten halten, aber wir können nicht anders. Daraus folgt, dass er entweder nicht der Urheber des Verschwindens war, was mich sehr überraschen würde, oder dass er trotz allem entkommen kann.

Wenn er rauskommt, benutzt er vermutlich einen anderen Weg. Was Sinn macht. Aufgrund seiner physischen Eigenschaften kann es nicht danach streben, auch spät in der Nacht im Zentrum von Paris, einer Stadt, die wie New York niemals schläft, unbemerkt zu bleiben.

Nein, wir müssen die Hypothese eines geheimen Ausstiegs in Betracht ziehen. Ein Licht begann im Nervenzentrum seines Gehirns zu blinken und zu flackern. Natürlich, Victor Hugo, - Les Misérables". Er zückte wieder sein Handy und tippte in eine Suchmaschine ein: die Kanalisation von Paris. Als die Ergebnisse kamen, richtete er sich in seinem Metallstuhl auf. Vielleicht hat er den Schlüssel zum Rätsel gefunden.

Er war so begeistert von der Entdeckung, dass ihm das Telefon, das zu klingeln und zu vibrieren begonnen hatte, fast aus der Hand fiel. Es war Laure.

- Nun, was er mir offenbarte, war nicht viel, aber er versprach, der Sache nachzugehen. Wenn es Sie beruhigen kann, kann ich Ihnen sagen, dass er es normal fand, dass eine kleine überempfindliche Frau, vielleicht hatte er in seinem Kopf das Adjektiv hysterisch ausgesprochen, von Ereignissen dieser Art stark beeindruckt war. Ich befürchte sogar, dass er in der Lage sein wird, meine Haltung zu glauben, getrieben von der Angst vor dem, was ihm passieren könnte... Fakt war, dass er den Köder kurzerhand geschluckt hat und nun wie immer vorhat, mich zu beeindrucken. Sein Engagement führt dazu, dass gerade jetzt nicht einmal Staatsgeheimnisse für ihn existierten. Er weiß alles. Nun, gut für ihn. Wie auch immer, hier ist, was er für den Moment weiß. Zwei Kommissare versuchen, den Fall wieder aufzuklären. Kommissar Lefebvre wurde zuerst ernannt. Als jedoch das Verschwinden des Sakristans von Notre-Dame entdeckt wurde, begann die Kirche, den Kommissar Velasco, der bekannten katholischen Glaubens war, zu bitten, die Ermittlungen zu leiten. Zumal Lefebvre ein berüchtigter Freimaurer ist. Am Ende kam es zu einer Einigung, de Velasco untersuchte, was mit dem Sakristan und Lefebvre mit dem Rest zu tun hatte. Aber beide schienen keine großen Fortschritte zu machen. Beide beklagten sich, weil sie sagten, dass in letzter Zeit zu viele Truppen dazu bestimmt seien, das Leben und die Wunder der Gelbwesten zu untersuchen. Vor Lachen zu sterben. Er versprach, dass er heute versuchen würde, mehr Informationen zu sammeln, und dass er mich nachts oder morgen anrufen würde. In der Zwischenzeit tun Sie mir bitte den Gefallen, vorsichtig zu sein. Du weißt es wohl, weise wie die Schlange und klug wie die Taube.

-Mach dir keine Sorgen.

Zu Gott, was Gottes ist, und zu Kaiser, was des Kaisers ist. Das schien mir ganz vernünftig. Dies war jedoch nicht gut für die Verwirklichung einer globalen Vision. Und noch weniger, sich im Namen einer gemeinsamen Sache zusammenzuschließen. Lefebvre besaß die wesentlichen Informationen, aber diese Informationen wären besser gewesen, wenn sie Velasco zu Ohren gekommen wären, da er derjenige war, der diesen Teil der Untersuchung beaufsichtigte. Der Mörder war natürlich derselbe, daran bestand kein Zweifel, obgleich es auch wahr war, daß man ihn früher hätte erreichen können, wenn man den Faden von Fabrices Fall verfolgt hätte. Würden sie seine Daten austauschen? Das sollten sie auch. Angesichts der Herkunft der einzelnen war es jedoch keineswegs sicher, dass dies der Fall war. Tynianov sollte über diese unerwartete Opposition von Gegensätzen informiert werden, wenn auch später, in Erwartung der zusätzlichen Daten, die Laure noch liefern kann. Wenn ich darüber nachdenke, war es nicht so unerwartet, denn der Raum, in dem wir uns entwickeln und der uns in gewisser Weise fasziniert, ist die Kathedrale. Und in der Kathedrale gab es laut Clara bereits eine Kompetenzteilung, die Kruste gehört dem weltlichen Staat, dem religiösen Kern, der Kirche. Ein Vorposten, ein freimaurerischer Bazillus, war in das katholische geistliche Mark eingeimpft worden und war das Werk von Viollet-le-Duc, den Monseigneur de Sully offensichtlich hasst. Und dazwischen steht Ergaster, dessen Anwesenheit in der Kathedrale mir nicht zufällig zu sein scheint. Nun ist Ergaster ein berüchtigter und wütender Mörder. Tatsächlich hat er sich auf einen unbändigen Wirbelsturm von Verbrechen eingelassen. Wie ist das alles zu interpretieren? Würde es im Hintergrund die eingefleischte Konfrontation zwischen den beiden ehemaligen Institutionen geben? Und welche Rolle spielte Ergaster? Die Kirche scheint ihm die Wohnung und den Schlüssel gegeben zu haben, nichts Geringeres als das rote Passepartout, das den Zugang zu unschätzbaren Schätzen ermöglicht, wie die Dornenkrone, die das Haupt Christi zum Zeitpunkt seines Todes umgab. Wozu? Eine der schlimmsten Mordwellen zu begehen, die Paris je erlebt hat, wahrscheinlich durch die Zertrümmerung von Leichen mit seiner Lieblingsfoltertechnik, dem Tod von tausend Schnitten? Es ergab keinen Sinn, die Spur von Viollet-le-Duc de Notre-Dame würde durch diesen Prozess nicht verwischt werden, wenn das das Ziel wäre, aber es ist vielleicht ein anderes, das mir entgeht, mit einer trotzigen Spirale von Morden. Die vernünftigste Hypothese ist, dass jemand dieses Monster mit einer Absicht benutzen wollte, die natürlich nicht sehr heilig war, aber dass es sich nicht um diese grundlose Gräueltat handeln konnte. Was zweifellos passiert ist, war, dass der unberechenbare Ergaster außer Kontrolle geriet, wieder einmal ausgerutscht war und diejenigen, die dachten, sie würden ihn benutzen, die Kontrolle über ihre Kreatur verloren, diese Art von gnadenlosem, blutrünstigem Frankenstein. All dies lässt jedoch vermuten, dass in den nächsten Tagen etwas Großes passieren wird. Und das muss hier in Notre Dame geschehen. Das ist etwas, das von diesem Dämon aus Fleisch und Blut begangen werden sollte.

Alba Longa schrieb wieder auf seine mobile Suchmaschine: "Die Kloake von Paris". Die Daten tauchten auf: ein Netzwerk von mehr als 2.600 Kilometern, das dunkle Gegenteil der Stadt des Lichts. Pläne lagen vor, aber am Fuße der Kathedrale schien kein Zweig vorbeizuführen. Es existierte jedoch schon seit der Zeit des Römers Lutetia. Im Laufe der Jahrhunderte wurden sukzessive Entdeckungen gemacht und das Netzwerk erweitert. Es war nicht abwegig zu glauben, dass ganz Paris, einschließlich der ältesten, der Insel Saint-Louis, auf der sich Notre-Dame befand, durch ein ungeheures unterirdisches Netz verbunden war. Wenn die Ratte herauskam, dann deshalb, weil es einen Notausgang gab. Obwohl es der Öffentlichkeit nicht bekannt war.

Er kehrte in die Kathedrale zurück. Alles war in Ordnung. Clara arbeitete auf dem Gerüst, Touristen wanderten und segelten. Keine Spur von der Polizei. Irgendwie, dachte er bei sich, musste die Situation erzwungen werden.

Mit diesen und ähnlichen Betrachtungen kam der Mittag und mit ihm die Mittagszeit, und so begab er sich an den gewöhnlichen Ort. Diesmal zeigte sich das Team mit dunklen Gesichtern. Das Verschwinden von Fabrice war bereits eine Gewissheit, wie es auch mit den anderen Verschwundenen in der Stadt zusammenhing und die Titelseiten aller Zeitungen gefüllt hatten. Hinzu kam, dass Fabrice sich nie wirklich von der Kathedrale entfernt hatte, die die Keimzelle seines Lebens und seiner Freizeit war. Seine Existenz schwankte zwischen

Kathedrale und Presbyterium. Der mutmaßliche Mörder war gekommen, um ihn dort abzuholen.

»Es könnte jeder von denen sein, die in den Seitenschiffen und im Gang umherirrten,« rief Roxane.

Clara fühlte, dass sie Alba bitten musste, sich von der Kathedrale fernzuhalten. Da er jeden Tag kam und auf der Bank saß, konnte er Verdacht erregen. Immerhin war sie mitten am Tag und bei so vielen Menschen nicht in Gefahr. Eher nachts, zu Hause, wäre die Gefahr größer gewesen, wenn Ergaster ihre Anwesenheit in Paris bemerkt hätte. Hätte er sich in voller Geschwindigkeit auf die Jagd geworfen, um Menschen zu töten, so würde er es mit größerer Befriedigung mit ihnen tun, denn zu seinem gewöhnlichen Vergnügen am Töten würde er noch das der Rache hinzufügen.

Der Grund, warum Alba nach Notre-Dame gekommen war, war, dass er mit Augen, die sich in einer peripheren Position befanden, weit weg von meinen, das beobachtete, was in der Umgebung vor sich ging. Aber wenn er all die Tage nichts gesehen hat, glaube ich nicht, dass er etwas anderes entdecken wird.

Am späten Nachmittag, als sie sich dort trafen, wo sie es gewohnt waren, war das das Erste, was sie ihm sagte. Aber Alba hatte ihm auch viel zu erzählen. Er erzählte ihr alles, was er tagsüber gewusst hatte, und seine Hypothese, wie Ergaster nachts die Kathedrale verließ.

- Es kommt wie Ratten durch die Kanalisation heraus. Und dann bewegt er sich ungesehen durch die Stadt, indem er das antike Netz von Jauchegruben nutzt, die in ihren archaischsten Abschnitten aus der Zeit der Römer stammen.

Clara nickte. Sie spürte, dass es wahr war. Alba fügte hinzu:

- Wenn du morgen nicht willst, dass ich dich in die Kathedrale begleite, werde ich die Gelegenheit nutzen, sie zu besuchen. Zumindest ein Teil des Netzwerks kann besichtigt werden. Es ist eine der Touristenattraktionen der Stadt.

Er erzählte ihr auch von seinem Verdacht, dass in den kommenden Tagen etwas Ernstes in Notre Dame passieren könnte.

- Es ist frustrierend, nichts tun zu können, findest du nicht?

-Sobald ich mehr Informationen habe, werde ich Kommissar Tynianov zurückrufen. Er wird wissen, wie er zu handeln hat. Vor allem, wenn er etwas Konkreteres und Substanzielleres in den Händen hält. In der Zwischenzeit schlage ich ein griechisches Restaurant vor, das ich im Marais kenne, nicht weit von hier.

Nach einem kurzen und gesunden Spaziergang genossen sie ein ausgezeichnetes Moussaka, das von einem Assyrtiko Santorini heruntergespült wurde.

Einen Augenblick lang vergaßen sie, daß Ergasters Schatten über ihnen schwebte. Zum Nachtisch wählten beide einen griechischen Joghurt mit Honig.

Das schummrige Licht der Kronleuchter, die von anderen Paaren dominierte Umgebung, die sanfte traditionelle Musik im Hintergrund berauschten ihre Augen mehr als der Wein. Ihr Gespräch war ein Palimpsest, unter Sätzen wie:

- Köstlich dieses Moussaka. Können wir sicher sein, dass es eine griechische Hand in der Küche gibt?

- Der Wein ist nicht zu überbieten, trocken aber fruchtig. Sehr passend.

Es gab ein fernes Gerücht, wie ein Seeschlepp. Sind wir nicht beide erwachsen? Warum halten wir das so? Was schadet das? Wir befinden uns im 21. Jahrhundert, und überall lösen sich die Fesseln der alten Prüderie auf. Es müsste unser Leben nicht gefährden, obwohl es auch nicht schlecht wäre. Alba fügte hinzu, dass sie noch zu jung sei. Das muss man respektieren. Aber sie ist teuflisch attraktiv, zumal sie die Jeans im Schrank gelassen und sich für die Kleider entschieden hat, die von den Anforderungen des Augenblicks gepresst werden, das stimmt, aber der Effekt ist nicht weniger verheerend.

Beim Verlassen des Restaurants punkteten Spontaneität und feminine Natürlichkeit.

»Hast du bemerkt«, sagte sie mit einem falschen, unschuldigen Lächeln, »daß alle denken, wir seien ein Paar?« »

- Sie scheinen keine Augen auf ihren Gesichtern zu haben, um deine Jugend und mein Salz- und Pfefferhaar zu sehen. Aber es stimmt, sie halten uns für ein Paar.

Glaubst du, dass dies das erste Mal wäre, dass eine junge Frau von einem attraktiven und interessanten reifen Herrn gefesselt wird?

Dann, ohne ihm Zeit zu geben, zu antworten, fügte sie hinzu:

- Nun, wenn es das ist, was sie denken, warum sollte man ihnen dann in ihrer Idee widersprechen? »

Mit diesen Worten legte sie ihren Arm um seine Taille und umarmte ihn.

"Dann werden alle ruhiger schlafen", fügte sie hinzu. -

Alba hatte keine Argumente, keine Kraft, keinen Atem, um sich dagegen zu wehren, und legte seinerseits den Arm auf seine Schultern. Der fleischliche Kontakt entflammte sie noch mehr, als sie erwartet hatten. Obwohl die beiden versuchten, es durch beiläufige Gespräche zu verbergen.

Das Problem tritt auf, wenn wir die Wohnung betreten. Aber wir müssen Widerstand leisten. Alles andere wäre unfair.

Sobald die Wohnungstür geöffnet wurde, gab es einen peinlichen Moment, die beiden waren zu großem Ärger und Unentschlossenheit verdammt. Aber Alba hielt es für die Pflicht eines Gentlemans, ihn auf die Stirn zu küssen und sich zurückzuziehen. Mit all seiner Willenskraft ging er ins Gästezimmer und öffnete die Tür.

XIX

Nach dem Frühstück, bestehend aus einem Rippensteak, zwei Steaks und einer Ente, ging Bemoz an seinen Schreibtisch. Kaum hatte er seinen mächtigen Stuhl unter seinem erdrückenden Gewicht zum Knirschen gebracht, als einer seiner Leutnants an die Tür klopfte, um Neuigkeiten zu verkünden.

-Wie war die Installation?

-Einwandfrei.

-"Was war interessant an diesem Paar Cherubim, die Gott verwirrt und denen ich beibringen werde, diese gnädige Gabe der Gelegenheit zu haben?" Zu gegebener Zeit...

Die Wahrheit ist, dass sie praktisch nichts gesagt haben. In der Wohnung angekommen, küsste die Lehrerin das Mädchen auf die Stirn, und dann schliefen sie getrennt voneinander ein. Jeder in seinem eigenen Bett. Jede kleine Eule, zu ihrem Olivenbaum. So endete die Nacht. Seltsam, denn als sie sahen, wie sie sich auf der Straße umarmten, hätte jeder angenommen, dass sie anfangen würden, wie ein Bruder und eine Nonne zu ficken, die noch nie in ihrem Leben gefickt haben. Das ist eine Schande, denn nach der Unzucht gibt es immer Zuversicht.

Bemoz stieß ein angewidertes Knurren aus, fragte dann aber:

-Ist es möglich, dass sie die Installation bemerkt haben?

"Keineswegs, Meister. Die Techniker, die für uns arbeiten, sind die gleichen, die für den staatlichen Geheimdienst arbeiten. Ich bin der Meinung, dass sie alles gesagt haben, was gesagt werden musste, und noch mehr, während sie in diesem griechischen Restaurant im *Marais zu Abend aßen*.

-Und heute Morgen, beim Frühstück?

-Banalitäten. Nichts Interessantes. Dann verabredeten sie sich, aber jeder schlug einen anderen Weg ein. Die junge Frau ist wahrscheinlich auf dem Weg nach Notre-Dame, während wir den Ritter noch nicht kennen, obwohl sie natürlich beide verfolgt werden.

-Verlieren Sie sie nicht aus den Augen. Ist Agni hier?

-Ja, Meister.

-Lass ihn herein.

Der Leutnant verbeugte sich ehrerbietig und verließ das Büro. Ein paar Minuten später klingelte wieder jemand mit den Fingergliedern an der Tür.

-Herein.

Der Indianer öffnete langsam und blieb einen Augenblick auf der Schwelle stehen, ohne einzutreten. Sein Kopf streifte den Türsturz.

Bemoz ließ sich nicht einmal herab, ihn anzusehen, er tat so, als würde er einige Papiere konsultieren. Er war entschlossen, ihm eine gute Lektion zu erteilen, ihm eine gute Palette des Schreckens zwischen Brust und Rücken zu legen. Wo sie sie geben, nehmen sie sie, dachte er bei sich. Er war kurz davor, alles zum Kentern zu bringen, dieser Sprössling des Teufels, weil er seinen Befehlen nicht gehorchte. Wenn er nicht so viel Wert hätte und wenn er nicht so viel Geld in ihn investiert hätte, würde in diesem Augenblick sein elendes Dasein zu Ende gehen.

-Vorrücken!

Der Schrecken von Paris rückte zaghaft vor, bis er sich vor das Tier stellte, das aus der Erde auftauchte, wenn auch in vorsichtiger Entfernung. Beim Anblick von Bemoz' riesigem Körper, der von allen Seiten von gewaltigen Muskeln gekrümmt war, die alle von hydraulischen Maschinen angetrieben zu werden schienen, die von gigantischen Kesseln angetrieben wurden, spürte er, wie sich die Haare auf seinen Armen sträubten.

-Wie geht es mit unserer Akte voran?

Das Ungeheuer schwieg.

Bemoz dehnte das Schweigen bis zum ihm wohlbekannten Äußersten aus, in dem die Nerven zu reißen drohen wie die Taue eines

Schiffes, das gegen die unendliche Kraft des Meeres ankämpft. Viele sind an dieser Stelle einfach zusammengebrochen.

"Der Meister ist nicht glücklich, Agni. Du hast ihn im Stich gelassen. Du bist zurück in deinen Wegen.

Der Genannte fiel auf die Knie und neigte den Kopf, bis er mit der Stirn den Boden berührte.

- Tut mir leid, Meister. Dies wird sich nicht wiederholen.

- Du hast nicht gehorcht.

»Mitleid!« rief Ergaster mit einem Schluchzen, das seinen ganzen Körper schüttelte, als wäre es das zerbrechliche Segel eines Bootes, das von der Galeere aufgewühlt wird. –

Bemoz erhob sich von seinem Stuhl und ging langsam auf den Unglücklichen zu, der spürte, wie der Parkettboden immer näher knarrte. Plötzlich spürte er, wie eine große, kräftige Hand plötzlich nach seinen Haaren griff und ihn dazu brachte, sein Gesicht zu heben. Der Schmerz presste ein Heulen heraus.

"Warum bist du ungehorsam gewesen, Agni?" »

Die Elenden stöhnten und zitterten.

"Es war der Sakristan, Meister. Er versuchte einzudringen, aber ich hielt die Tür auf. Ich wusste, dass er zurückkommen würde. Also hatte ich keine andere Wahl, als es mir zu schnappen. Er hatte zu viel gesehen. Ich konnte ihn nicht gehen lassen. Ich hätte ihn auf der Stelle töten können, aber es war eine Schande, nicht vorher ein wenig mit ihm zu spielen...

- Und dann wachte die blutrünstige Bestie, die in dir schlief, auf...

"Daran hatte ich nicht gedacht, Meister. Eine unaufhaltsame Kraft, die ich nicht kontrollieren konnte, führte mich zum Rest. Es war die Schuld dieses verdammten Sakristans und seiner verfluchten Neugierde.

-Sie haben die Operation durch Ihren schlechten Kopf gefährdet. Du bist meines Vertrauens nicht würdig.

"Es wird nicht wieder passieren, Meister", stöhnte er. - Bevor ich es wieder tue, öffne ich meine Eingeweide und werfe sie den Hunden zum Fraß. Barmherzigkeit, Meister. Ich flehe um deine Barmherzigkeit.

-"Aber nur für den Fall, dass du es noch einmal tust, weißt du, was ich mit dir machen würde?"

"Nein, Meister.

- Ich würde dich bei lebendigem Leib häuten, für den Anfang. Und dann ratet mal, was ich als nächstes tun würde.

"Nein, Meister.

"Dann würden meine Männer dich in die Kanalisation bringen, wo sicher deine Opfer sind, um dich dort an zwei gekreuzte Pfähle gebunden zurückzulassen. Sobald man allein war, kamen die Ratten. Und du würdest dein ganzes Bewusstsein behalten, um zu fühlen, wie sie langsam an deinem pochenden und extrem empfindlichen Fleisch nagen, viele Stunden lang, überall, sogar in dich eindringend, deine Nerven angreifend und deine Sehnen schmecken. Eine Tortur, die deiner würdig ist und die den Höhepunkt darstellen würde, den deine Karriere als sadistischer Folterknecht verdient.

Ergaster wusste, dass der Koloss nie etwas sagte, was er nicht auch im Nachhinein erreichen konnte. Und in seltenen Fällen hörte er damit auf, sobald er es gesagt hatte.

- Barmherzigkeit, Meister. Und ich werde dir gehorchen wie ein Leichnam bis zum Ende meines Daseins.

Bemoz kehrte eilig zu seinem Stuhl zurück, der abermals mit spektakulärer Gewalt knarrte.

"Steh auf, Agni. Es muss nicht alles schlecht sein...

Ergaster fühlte, dass der schlimmste Sturm seines Lebens langsam nachließ und die Flamme der Hoffnung stärker und größer wurde. Er stand auf.

Bemoz fuhr fort:

-Erinnern Sie sich an Clara, die Enkelin von Bardés? »

Ergaster antwortete nicht, aber seine Augen leuchteten plötzlich und intensiv.

- Nun, Sie müssen wissen, dass sie in der Kathedrale arbeitet, einem Restaurant für antike Werke. Und dass Professor Alba Longa bei ihr ist, in Paris.

-"Du hättest sie doch gerne in deiner Hand, oder?" Vielleicht, um ein wenig damit zu spielen, nicht wahr?

Ergaster schluckte.

-Ja, Meister.

Obwohl er sofort korrigierte:

- Aber nur, wenn mein Meister es mir erlaubt.

-"So mag ich es, wenn du denkst, Agni. Ich bin bereits dabei, einen Teil des Vertrauens zurückzugewinnen, das ich in Sie gesetzt hatte. Nun, ich freue mich, denn jetzt erlaube ich es dir nicht. Ich muß zunächst prüfen, inwieweit sie von der vorliegenden Operation Kenntnis haben und ob sie mit jemand anderem als Kommissar Tynianov darüber gesprochen haben.

Bei der Erwähnung dieses Namens zitterte Ergasters Körper und richtete sich dann auf, seine Augen verlängerten sich, und seine Pupillen wurden winzig, wie die einer Katze, die ihre Beute in der Ferne betrachtet.

Eines kann ich Ihnen jedoch gewähren: die Gewissheit, dass ich sie irgendwann in Ihre Hände legen werde. Obwohl es nicht an Ihnen ist, sie mit Ihrer bereits banalen und langweiligen Methode zu beenden, sondern mit einer anderen, die Ihrem neuen Namen besser entspricht. Dies hat den zusätzlichen Vorteil, dass keine Spuren hinterlassen werden. Verstehen Sie mich? Agni?

"Ich verstehe, Meister.

Sobald Ergaster Bemoz' Büro verlassen hatte, trat sein Leutnant wieder ein.

-Professor Alba Longa besucht die Kanalisation von Paris.

Der Riese schlug so heftig auf seinen Tisch ein, dass er ihn fast in zwei Teile spaltete.

-Verdammter Bastard! Es ist auf dem richtigen Weg.

DRITTER TEIL

I

Alba trat wieder aus der Stadt der Finsternis in die Stadt des Lichts. Er befand sich in der Nähe *der Pont de l'Alma, und der* Besuch hatte ihn in seiner anfänglichen Vorstellung getröstet, wie Ergaster Notre-Dame wie in einer Mühle und zu der Zeit betritt, die er will; dies erklärt auch, warum er sich in ganz Paris bewegen kann, ohne dass sein Körperbau, etwas eigentümlich, niemanden auffallen lässt. ob er unerwartet in irgendeinem Teil der Stadt auftaucht, sein Verbrechen begeht, die Leiche trägt und sie in einem abgelegenen und nicht überfüllten Bereich des Netzwerks zurücklässt, wo sie lange brauchen werden, um sie zu finden.

Was er gerade entdeckt hatte, war eine Kopie der Stadt, die sich ein paar Meter tiefer befand. Die Straßen der Unterwelt hatten die gleichen Namen wie oben und wurden mit der gleichen Art von Plakette beworben, blau mit weißen Buchstaben, sogar die Nummern der Gebäude erschienen. In der Mitte eines jeden Zweiges verlief gewöhnlich ein Kanal, manchmal mit sehr klarem Wasser. Es konnte passieren, dass es an manchen Stellen wie große, beleuchtete Becken gab, in denen man ein gutes Bad genommen hätte, wenn man es gedürfte hätte. Zu anderen Zeiten waren es dicke Rohre, die Wasser führten. Der Geruch war manchmal etwas nervig, aber nicht ekelerregend.

Bei vielen Gelegenheiten sah er Schilder, die Unbefugten den Zutritt untersagten, und andere Passagen wurden einfach durch Türen aus Eisenstangen verschlossen. Wenn aber jemand die Erlaubnis hat oder ganz darauf verzichtet, oder wenn er den erforderlichen Schlüssel hat, aller Wahrscheinlichkeit nach nur einen für alle Türen, so kann er sich sicherlich in diesem ganzen unterirdischen Paris bewegen, ohne irgend jemandem oder wenigstens sehr wenigen Menschen zu begegnen, besonders nachts.

Es gab auch ein Museum, in dem Hausboote und andere Geräte ausgestellt waren, die verwendet wurden, um sich schneller zu bewegen und entlang des riesigen Netzwerks zu arbeiten. Auch Waffen und andere Gegenstände, die dort gefunden wurden, wurden ausgestellt, darunter zum Beispiel antike Schwerter.

Kurz gesagt, ein uralter, verborgener und geheimer Weg, der nicht nur als Gefäßsystem für die alte Agglomeration gedient haben sollte, sondern auch für weniger gesunde Zwecke verwendet werden konnte, auf beiden Seiten der Legalität, ohne Zweifel.

Alba kaufte die Zeitung und setzte sich auf eine Terrasse. Die Presse brauchte ein erneutes Verschwinden nicht zu beklagen. Bei denen, die bis jetzt schon aufgetreten waren, gab es jedoch genug Material, um Ströme von Tinte zu gießen.

Er hatte etwa eine Viertelstunde gelesen, als sein Telefon klingelte. Es war Laure.

-Hallo Alba. Ich weiß nicht, wie sehr Sie dieser Fall betrifft, aber ich habe keine guten Nachrichten für Sie. Erstens: Geht es dir gut?

- Ja, absolut.

- Es stellt sich heraus, dass mein Mann tatsächlich recherchiert hat, rechts und links Fragen gestellt hat... Und das Ergebnis von all dem können Sie sich gar nicht vorstellen.

- Zu diesem Zeitpunkt glaube ich nicht, dass mich irgendetwas mehr überraschen kann...

Stellen Sie sich vor, der Minister hätte ihn in sein Büro gerufen. Und wofür? Nun, um ihm ein formidables und raues Philippisch zuzuwerfen. Er hat ihm buchstäblich gesagt, dass er besser daran täte, die Berichte, die in seinen Zuständigkeitsbereich fallen, ordentlich voranzukommen, anstatt seine Nase dorthin zu stecken, wo er nicht eingeladen wird, und vor allem in Dinge, die überhaupt nicht seine Sache sind. Wenn es zu einer solchen Reaktion kommt, dann deshalb, weil es im Kern der Sache einen politischen Kern gibt.

-Neugierig... Und hat er in Bezug auf die Schritte, die er vor dem Interview mit dem hohen Charakter durchlaufen konnte, etwas gesagt?

-Nichts Neues. Dass die Ermittlungen nicht so voranschreiten, wie sie sollten. Das ist sein Eindruck. Und auch, dass es eine Art Omerta gibt, die diesen Fall umhüllt. Je mehr man sie betritt, desto größer ist die Vorsicht und Zurückhaltung der Akteure.

-Nun, auch negative Nachrichten sind immer Nachrichten und daher nicht ohne Nutzen.

- Mein Rat ist, dass Sie, wenn möglich, so schnell wie möglich von dieser Angelegenheit wegkommen. Auf den ersten Blick scheint das zu undurchsichtig. Und natürlich gefährlich.

-Mach dir keine Sorgen. Ich werde Eurem Rat folgen. Wenn ich kann... Küsst. Und vielen Dank für alles.

-Küsse, Alba. Pass auf dich auf.

Von offizieller Seite sei nichts zu erwarten. Hier ist eine Katze eingesperrt. Und vielleicht viele spezielle Interessen. Beteiligte Elemente der höheren Ränge und wer weiß, was sonst noch. Der einzige Offizier, dem er vertraute, war Tynianov, aber er bezweifelte, dass er viel tun konnte. Mit dem erschwerenden Umstand, tausend Kilometer vom Ort der Tatsachen entfernt zu sein. Er hielt es jedoch für zweckmäßig, ihn davon in Kenntnis zu setzen.

- Guten Morgen, Professor Longa. Was ist los?

- Ich würde sagen, Herr Kommissar, dass die größte Neuerung darin besteht, dass es nichts Neues gibt.

-Das ist richtig, die Ermittlungen scheinen zum Stillstand gekommen zu sein. Wobei es oft vorkommt, dass Avancen nicht offengelegt werden, eben um Kriminelle nicht zu alarmieren.

Dann erzählte ihm Alba, ohne den Namen seiner Quelle zu nennen, die vertraulichen Informationen, die er darüber hatte, wie ein ganzer Generalsekretär des Justizministeriums vom Minister selbst gefügig gemacht und gezwungen worden war, den Mund zu halten und sofort aufzuhören, indiskrete Fragen zu stellen, die allen unangenehm waren.

»Meiner Meinung nach«, erwiderte Tynianov, »hat der Generalsekretär einen hohen Preis für seine Unerfahrenheit in einer Art Schikane bezahlt.

Bevor er jedoch diese großartige Ohrfeige erhielt, entdeckte er einige interessante Dinge. Insbesondere der Interessenkonflikt, der sich in der Auswahl der Kommissare für die Durchführung der Untersuchung zu manifestieren scheint. Auf der einen Seite ist, wie Sie richtig sagten, de Velasco ein frommer Katholik, und auf der anderen Seite ist Lefebvre ein berüchtigter Freimaurer, Organisationen, wie Sie wohl wissen, legendär bekämpft sind.

Tynianov biss sich auf die Unterlippe.

- Ich wusste nicht, dass Lefebvre ein Freimaurer ist...

Dann bereute er, daß er ihm die Entdeckung von Alba und Klara mitgeteilt hatte, obgleich er sich selbst beglückwünschte, daß er keine Eigennamen genannt hatte.

"Dieser scheinbare Kampf der Gegensätze", fuhr Alba fort, "scheint einen Hauch von Bedeutung zu haben. Doch schon bald betreten wir ein Gebiet, das in dichten Nebel gehüllt ist.

-Können Sie Ihre Argumentation näher erläutern?

- In dem von der Kiste geräumten Bereich können wir folgende Elemente beobachten: Die Kathedrale ist voll von Spuren von Viollet-le-Duc, der selbst Freimaurer war, er befahl sogar, eine Gedenktafel an einem diskreten Ort der Kathedrale anzubringen, um den großen Architekten der Welt zu feiern. Der derzeitige Rektor des Erzpriesters möchte aus offensichtlichen Gründen alle Spuren dieses aufdringlichen Charakters verwischen. Eine solche Amputation, so Clara, sei nicht erreichbar, wenn nicht ein erheblicher Teil des Gebäudes abgerissen werde. Das lässt uns eine architektonische, künstlerische, kulturelle und spirituelle Katastrophe befürchten. Dies könnte Ergasters beunruhigende Anwesenheit in Notre Dame erklären. Und die Tatsache, dass die Freimaurerei beschlossen hat, in dieser Angelegenheit zu handeln. Weniger klar ist der *Modus Operandi*. Die Kirche bringt Ergaster in dem Gebäude unter, gibt ihm die Schlüssel zur *Wohnung, zeigt ihm, wie er* ungesehen hinein- und herauskommt (meine Theorie ist, dass er dies durch die Pariser Kanalisation tut), aber was ich nicht verstehe, ist, wie die Mordserie, die er in der ganzen Stadt begeht, dem Ziel des Erzpriesters dienen kann, Viollet-le-Duc aus der Kathedrale zu tilgen. Es sei denn, sie erwarten von ihm eine andere Art von Aktion, und Ergaster ist von seinen kriminellen Instinkten hinweggefegt worden, was zu Kollateralopfern führt.

- Im Allgemeinen ist vieles von dem, was Sie gerade skizziert haben, plausibel. Es gibt jedoch ein Detail, das nicht zusammenpasst. Ich meine, dass jetzt, wo ich es sicher weiß, Ergasters sehr reicher und mächtiger Wohltäter, für den er heute wahrscheinlich arbeitet, nicht die Kirche ist, sondern gerade sein Widersacher, die Freimaurerei.

Warum also hält ihn die Kirche in der Kathedrale fest, wo sie doch jetzt den Verdacht hegt, dass er der Mörder ist, nicht nur des Sakristans, sondern aller Opfer des Verschwindenlassens, das sich in den letzten Tagen in Paris ereignet hat? Ohne ihr Wissen und ihre Zustimmung wäre dies nicht möglich.

»Das ist der springende Punkt«, erwiderte Tynianov. – Und ich muss zugeben, dass es für mich ein Rätsel ist.

-Ein Mysterium, das viele Menschen undurchdringlich halten wollen.

- Wenn Sie meinem Rat folgen wollen, Herr Professor. Beschütze Clara und halte dich so weit wie möglich von diesem Fall fern. Die Freimaurerei ist die französische Mafia. Ich weiß nicht, ob Sie verstehen, was ich damit meine.

- Auf jeden Fall, Herr Kommissar. Aber ich habe den Eindruck, dass in den nächsten Tagen etwas sehr Starkes passieren wird. Und jemand sollte sich bewegen, um es zu vermeiden, finden Sie nicht? Auf der anderen Seite ist schon jetzt klar, dass die Lösung nicht aus den offiziellen Sphären kommen wird.

Die Lösung wird nicht nur nicht von ihnen kommen, sondern sie werden auch ein Hindernis sein, um sie zu erreichen. Ich brauche ein wenig Zeit zum Nachdenken, um die Daten, die Sie mir gerade gebracht haben, zu verarbeiten. Nehmen Sie in der Zwischenzeit meine Warnung sehr ernst, bleiben Sie Paris fern, zumindest für ein paar Tage, zum Beispiel bis Ostern. Und Clara Bardes mit Ihnen. Ich weiß nicht, machen Sie einen Sightseeing-Trip oder so etwas.

- Danke für den Vorschlag. Passen Sie auf sich auf, Herr Kommissar. Bis bald.

- Bis bald, Herr Professor.

Das ist unerhört, rief Alba aus. Er hat keine Füße und keinen Kopf. Es gibt nichts, woran man sich festhalten könnte. Aber er spürte das Risiko, er spürte die Katastrophe.

Wie kann man das Unvermeidliche vermeiden? Die Situation war nicht nur gefährlich, sondern auch deprimierend. In was für Händen befindet sich die Welt jetzt? Menschen mit einem Übermaß an Macht und absoluter Skrupellosigkeit. Demokratie, Gerechtigkeit, Gleichheit, Brüderlichkeit, Freiheit, ein Fiasko. Geld, Profit, Zinsen, Aktien, der Kampf um die Macht, Mafias, Interessengruppen, die einzige Realität.

Er war schon zu lange dort, aber er hatte nichts anderes zu tun. Tynianov hatte recht, müssen wir meinen. Wenn es keine Schießerei gibt, um eine Handlung zu starten, ist das Einzige, was sie erzeugen kann, die Reflexion. Er bestellte noch einen Kaffee und las weiter. Es dauerte nicht lange, bis er die wenigen Artikel, die er zu diesem Thema noch zu lesen hatte, zu Ende gelesen hatte. Die andere große Nachricht, die die Zeitungen vor dem Herannahen eines weiteren Samstags der Unruhen brachten, war die über die Gelbwesten. Eine echte Revolution, reflektiert Alba, wenn schon nicht gegen den Kapitalismus, so doch zumindest gegen den Neokapitalismus, auch bekannt als Neoliberalismus, der ein globales Ausmaß erreicht. Er hatte einen Artikel vor sich, der von der Präsenz der Gelbwesten in so heterogenen Ländern wie den Vereinigten Staaten, Großbritannien, Deutschland, Spanien, Chile, Mexiko, Schweden und vielen anderen zeugte. Die Bewegung wurde in Frankreich geboren und hat sich auf der ganzen Welt verbreitet. Der französische Fall ist besonders vergiftet. Viele glauben, dass die Polizei nicht zögert, alle ihr zur Verfügung stehenden Mittel einzusetzen, um sie zu diskreditieren, einschließlich der bekannten Methode, einige ihrer Mitglieder verkleidet und vermummt zu schicken, um die gewalttätigsten und zerstörerischsten kleinen Gruppen zu bilden, die nur Öl ins Feuer gießen, weil die Bevölkerung wirklich von Wut verzehrt wird. Soziale Ungerechtigkeit, mangelnde Demokratie, die Spaltungs- und Zerstörungsziele des Wohlfahrtsstaates seitens der finanziellen und politischen Eliten sind nur allzu offensichtlich, weil sie davon überzeugt sind, dass sie nur den letzten Schub geben müssen. Die Regierung provokativer Kinder, an deren Spitze der Präsident selbst gestellt werden muss, einer Inkompetenz, die vor seinem Amtsantritt schwer vorstellbar war, unterstützt von politischen Söldnern sowohl der neoliberalen Rechten als auch der Kaviarlinken, als neoliberal oder sogar noch mehr als die erste, verschlimmert die Situation nur. Die Bereitschaftspolizei geht sogar so weit, LBD-Gewehre auf die Gesichter der Demonstranten zu richten, um sie zu terrorisieren. Tatsächlich ließen sie viele von ihnen blind zurück. Doch die Proteste gehen Samstag für Samstag weiter, erstaunlich hartnäckig und pünktlich wie eine Rolex. Nicht nur in Paris, sondern in allen Städten Frankreichs und Navarras. Das geht so weit, dass das gesamte Polizeiaufgebot im ganzen Land erschöpft ist und sich allmählich als unzureichend erweist. Und als i-Tüpfelchen zögern die Feuerwehrleute nicht, den Demonstranten ihr Mitgefühl auszudrücken, obwohl sie weiterhin die Brände löschen. Wenn die Regierung ein solches Maß an Repression erreicht, dann deshalb, weil sie Angst hat. Und wenn die Regierung Angst hat, dann haben auch diejenigen, die hinter ihr stehen und die Fäden der bemitleidenswerten Marionetten ziehen, die wir an der Spitze des Staates sehen. Es wäre nicht verwunderlich, wenn sie irgendetwas versuchen würden, und sei es noch so dumm, alles zu stoppen. Aber was? Ein Anschlag mit Hunderten von Toten zum Beispiel am Ostertag in der berühmtesten Kathedrale der Welt? Und die Verantwortung für das Gemetzel und die Zerstörung des religiösen und künstlerischen Symbols dem islamistischen Terrorismus zuschreiben? Wenn das Ziel darin besteht, einen emotionalen Ruck zu erzeugen, der die ganze Nation schockiert, buchstäblich gelähmt zurücklässt, dann braucht es nichts Geringeres. Ein blutiges Drama, das seine Wurzeln in einer Tradition und einer Identität hat, die sich mit den im Mittelalter gelegten Fundamenten verbindet. Wären sie zu so etwas fähig? Die bejahende Antwort erschien in Alba Longas Geist, auf seine Kosten, ganz natürlich. Schauen Sie sich nur die Geschichte an, dachte er. Alle Kriege, einschließlich der verheerendsten und jüngsten, wurden aus einem einzigen Grund geführt: Geld. Wenn wir ein wenig in den Staub kratzen, der sie bedeckt, tauchen wirtschaftliche Interessen, natürliche Ressourcen, finanzielle Möglichkeiten, Märkte auf. Geld, wenn es in die Hände seiner Besitzer fließt, nicht in Form von Löhnen, nicht durch ein einfaches Unternehmen, sondern in Milliardenpaketen, kommt immer mit Blut befleckt.

II

Der große Batrachianer begann zu begreifen, aus welchem Teig der Gast gemacht war, den er unter seinem eigenen Dach beherbergt hatte. Voller Wut griff er zum Telefon, um Bemoz von der extremen Enttäuschung zu berichten, die ihm solche Ereignisse bereitet hatten. Beide wussten, dass ihre Telefone nicht abgehört wurden. Und wenn sie es zufällig gewesen wären, hätte das an der Situation überhaupt nichts geändert. So konnten sie offen sprechen und sich sogar gegenseitig die vier Wahrheiten sagen, wenn sie es für richtig hielten.

Bemoz entgegnete, dass das, was geschehen sei, nicht in ihren Plänen gewesen sei und dass Agni in der Tat für einen Moment ein wenig außer Kontrolle geraten sei, dass er seinen Impulsen nachgegeben habe, obwohl er wiederholt geschworen hatte, dass er es nicht tun würde. Inzwischen ist die Situation jedoch unter Kontrolle. Er hat es persönlich so behoben, dass er fest davon überzeugt ist, dass ein solches Verhalten nicht noch einmal vorkommen wird. In dieser Hinsicht konnte er ruhig schlafen.

Auf der anderen Seite schien es keine gute Idee zu sein, das für beide Seiten so vorteilhafte Projekt aus Detailgründen zu stoppen. Vor allem, wenn man bedenkt, in welchem fortgeschrittenen Zustand er sich befand. Genauer gesagt in der Endphase. Vor allem, wenn diese Detailfrage nur eine vollendete Tatsache ist. Das Einzige, was man tun konnte, war, ihn aufzuhalten, und das war geschehen.

-Was denkst du?

Bischof Batracien konnte nur zugeben, dass dem so war.

- Also, sollen wir weitermachen? fragte Bemoz.

"Nur zu", bestätigte der Prälat und legte auf. –

Seine Verärgerung ließ jedoch nicht nach. Welche Art von Lakaien beschäftigen diese Leute? Sein Leviathan schwingt Keulen, Dolche und Gift besser als jeder andere, aber nie umsonst. Damit er seinen kleinen Finger bewegen kann, muss es einen Grund geben und er muss mit einer Präzisionswaage gewogen werden. Ansonsten handelt er nur, indem er Befehlen gehorcht. Und niemals, soweit ich weiß, von Rache getrieben oder durch Provokation angeregt. Er ist ein narrensicherer Profi. Trotz seiner herkulischen und tellurischen Kraft bezweifle ich, dass es sich um ein warmblütiges Tier handelt. Die Flüssigkeit, die durch seine Adern fließt, sollte kälter sein als die eines Alligators.

Denn sobald eine gemeinsame Operation durchgeführt ist, ist die Katastrophe nah. Glücklicherweise war de Velasco zur Stelle, um den Schlag zu stoppen. Wenn das Einzige, was zu beklagen ist, der Tod von Fabrice ist, können wir immer noch alles für einen guten Zweck geben.

Schließlich war der Verlust nicht sehr groß, das muss man sagen. Er war kein schlechter Mensch, aber wir müssen anerkennen, dass er auch ein Einfaltspinsel war. Für den gleichen Preis und ein Paar Stiefel werden wir ein weiteres ähnliches haben. Es ist nicht notwendig, eine Koryphäe zu sein, um diese Arbeit zu tun. Natürlich muss es diskret sein. Unabhängig davon wird der neue Kandidat drei Monate lang getestet und das war's. Und Friede und ewige Herrlichkeit den Toten.

Worauf es ankommt, ist, dass die Sache der Kirche voranschreitet. Und warum nicht offen sagen? Die Sache vor allem derer, die ihr mit Hingabe und gesundem Menschenverstand dienen. Es erübrigt sich zu sagen, dass er das ideale Beispiel für eine solche Menschenrasse war, ohne weiter zu gehen.

Für den Augenblick wird er daran denken müssen, einen Kardinal unter den Kardinälen zu wählen, die der Sache verfallen und in seinem Alter sind, um nicht allzu lange auf dem Stuhl des Petrus zu sitzen, das ist es, nur so lange, sagte er sich mit aller Rechtschaffenheit und Aufrichtigkeit, ich bin fähig, mein eigenes Gesäß in sie zu stecken; Eine Eventualität, die, wenn diese Art von Staatsstreich, den er plant, vollzogen ist, nicht mehr lange auf sich warten lassen wird. Der Architekt eines solchen Richtungswechsels, der seinen Anhängern, den wahren Männern der Kirche, die Macht zurückgeben wird, wird keine Schwierigkeiten haben, zunächst den Purpur des Kardinals und in einem zweiten Satz das päpstliche Diadem zu erhalten. Mit Leviathan und der Organisation, die er an meiner Seite führt, wird es ein Kinderspiel. Es wird, ja, Kollateralopfer geben, das ist unvermeidlich, aber Paris ist eine Messe wert. Kurz gesagt, Rom, meine ich. Auch wenn es schwarz sein muss, lacht der Batrachianer zufrieden und mit guter Begeisterung.

III

Zur gewöhnlichen Zeit ging Alba zu Clara.

-Was sind deine Pläne für heute? fragte die junge Frau. –

- Heute müssen wir über vertrauliche Dinge sprechen. Die Sache ist ernster, als es den Anschein hat, und Kommissar Tynianov rät uns, Paris für ein paar Tage zu verlassen, um eine Reise zu unternehmen.

-Und was meint ihr?

Im Moment müssen wir ernsthaft darüber sprechen. Denken Sie an alle Aspekte und Implikationen. Deshalb schlage ich vor, dass wir Essen kaufen, das irgendwo auf dem Weg zubereitet wird, und in Ihrer Wohnung speisen, wo wir uns mit der nötigen Privatsphäre unterhalten können.

An einem nicht zu vernachlässigenden Tisch sitzend, konnte Clara ihre Neugier nicht länger zurückhalten.

- Es scheint, dass Sie und Tynianov zu einem dramatischen Schluss gekommen sind...

-Der Kommissar hat dem Fall einen neuen Faden geknüpft. Die mächtige Instanz, die Ergaster für ihre eigenen Zwecke vereinnahmt hat, ist die Freimaurerei.

"Und was macht er dann, wenn er in einer katholischen Kathedrale lebt?"

-Und zwar nicht in irgendeinem, aber vielleicht in der bekanntesten von allen...

Alba hielt absichtlich inne und füllte es, indem er das Glas Sauternes an seine Lippen führte. Klara, die selbst nachdenklich war, ahmte ihn nach.

Dies ist ein sehr seltsamer Fall, in dem die Feinde der Vorfahren eine unnatürliche Zusammenarbeit zu führen scheinen. Das gemeinsame Element, das einzige, das ich finden kann, ist Viollet-le-Duc. Genauer gesagt, der Teil seines Werkes, der in einer gotischen Kathedrale verwurzelt ist, nichts Geringeres als Notre-Dame de Paris. Kein Wunder, dass der Erzpriester sie für eine giftige Schlange hält, die in seinen eigenen Stab gewickelt ist.

- Das stimmt, aber heute gibt es eine solche Symbiose zwischen den beiden Elementen, dass sie nicht getrennt werden können, sie sind untrennbar, ein Teil des Gebäudes müsste abgerissen werden, abgesehen davon, dass die Öffentlichkeit eine solche Amputation nicht akzeptieren würde. Stellen Sie sich vor, dass zum Beispiel Wasserspeier von ihm entworfen wurden. Was glauben Sie, wie die Leute reagieren würden, wenn jemand versuchen würde, die Wasserspeier oder den Turm von Notre Dame abzureißen?

Alba nickte.

- Ich stimme dir zu. Aber was wäre, wenn all dies durch einen Angriff zerstört würde?

Clara hielt sich die Hände vor den Mund.

-Mein Gott!

Ein Angriff, der auch Hunderte von Toten und Verletzten verursachen würde. Eine Explosion zum Beispiel während einer feierlichen Messe in der Karwoche oder zu Ostern, die das Dach über den Gläubigen zum Einsturz bringen würde.

-Ein unvorstellbarer Horror... Volk... Unschuldig. Notre-Dame, ein Schatz der Menschheit, ein Symbol nicht nur der Geschichte der Kirche, sondern der Geschichte, ganz einfach...

- Ein globaler Schock", so Alba abschließend. –

-Zweifellos. Die ganze Welt wäre fassungslos, als hätte man ihn mit einem Knüppel auf den Kopf geschlagen.

»Um eine solche Handlung zu vollbringen,« fuhr Alba fort, »braucht man einen Mann, der nicht kalt in den Augen ist. Wer wäre da besser geeignet als Ergaster?

-Aber Ergaster, so Tynianov, arbeitet für die Freimaurerei...

-Genau.

Welches Interesse kann sie daran haben, das Werk eines der ihren aus Notre-Dame zu tilgen? Das scheint kontraproduktiv zu sein.

-Es ist ein kleines Opfer. Ein kleines Gegenstück. In jeder Verhandlung muss man immer etwas geben, um viel zu gewinnen.

-Aber was für ein Gewinn? Wer kann aus einem solchen Schlamassel etwas gewinnen? Wenn mir das schon für die Kirche ein überhöhter Preis zu sein scheint im Vergleich zur Bedeutungslosigkeit dessen, was erreicht wird... Was ist mit der Freimaurerei, die nicht zu gewinnen scheint, sondern verliert?

-Gehen wir in Teilen. Was die Kirche anbelangt, so bedeutet katholisch zwar universal, aber heute gibt es in ihr Tendenzen. Sowohl Sully als auch Velasco gehören dem traditionellsten Flügel an, der nun glaubt, dass ihm die Macht entzogen wurde und logischerweise wieder die Oberhand gewinnen möchte. Es würde mich nicht wundern, wenn sie beabsichtigen, eine solche Agitation für ihre Zwecke zu nutzen.

- Und die andere Seite? Die gegenüberliegende Seite... Er würde auch darin verlieren, wenn ich es richtig verstehe. Viele bezeichnen die Bestandteile der kirchlichen Hierarchie, die derzeit die Macht innehat, als Freimaurer. Auf jeden Fall sind sie Teil eines eher säkularen Trends...

Alba nickte.

-Sie haben jetzt ein dringenderes Anliegen. Und dringend.

-Welches?

- Stoppen Sie eine Revolution, die ein globales Ausmaß angenommen hat.

Klara blieb stehen, die Gabel erhoben, weil sie wußte, daß Alba recht hatte. Aber er fuhr fort:

Diese Revolution gegen den neoliberalen Kapitalismus wurde hier in Frankreich geboren. Und hier müsst ihr seine erste Wurzel ausreißen, ganz und auf einmal. Wenn dies erreicht wird, wird das Fieber im Rest der Welt sinken.

-Und ein Schock...

Ein Schock, der die ganze Welt in Angst und Schrecken versetzen wird, besonders aber Frankreich, die Lieblingstochter der Kirche, der ihr kostbarstes Familienjuwel entrissen wird, das wird eine radikale

Wirkung haben. Gesucht wird die nationale Einheit im Angesicht des Unglücks. Im Angesicht einer der größten Widrigkeiten, die seine Geschichte je verzeichnet hat.

Clara lehnte sich auf die Lehne ihres Stuhles zurück. Alba auch. Sie hatten den Appetit verloren. Lange Zeit meditierten sie schweigend.

- Das scheint mir etwas Übertriebenes, Unverhältnismäßiges zu sein. Aber gleichzeitig plausibel", kommentierte die junge Frau schließlich. -

- Skandalöser und exzessiver als ein Weltkrieg? Und doch, die erste und die zweite und alle anderen wurden durch Geld verursacht. "Wenn meine Kinder das nicht wollten, gäbe es keine Kriege", sagte die Oberin einer bekannten Bankiersfamilie.

-Was können wir tun?

- Zwei Dinge. Machen Sie eine Reise, wie Tynianov rät, und verbringen Sie zum Beispiel eine Woche in Island. Oder betreten Sie Notre Dame für eine Nacht und versuchen Sie, etwas anderes zu entdecken, und sei es nur, um den Beweis zu erbringen, dass Ergaster sich dort aufhält. Dies wäre bereits ein Verbrechen, das Tynianov vielleicht einen Halt verschaffen könnte, um ihn zu stoppen und so den Schlag gegen seine Integrität zu parieren. Ich weiß, dass es sich um einen Plan handelt, dem es an Kohärenz mangelt, aber es ist die einzige Maßnahme, die in unserer Reichweite liegt.

Clara verschränkte beide Hände in einer meditativen Haltung.

Wenn die Katastrophe, die du vorhersagst, eintreten würde, würde unser Bewusstsein uns unser ganzes Leben lang dafür verantwortlich machen, dass wir keinen einzigen Finger bewegt haben, um sie zu vermeiden. Wir werden gehen.

-Am Ende... Tatsächlich... Ich hatte geplant, nur für mich selbst zu gehen...

- Ich kann es mir nicht leisten. Vier Augen sehen mehr und besser als zwei.

"Es ist eine Sicherheitsmaßnahme, Clara. Wenn ich am nächsten Tag nicht wiederkäme, würdest du die Polizei rufen. Darüber hinaus wären wir in ständigem Kontakt per SMS, der eine innen und der andere außen, in völliger Reaktionsfreiheit.

-Die Polizei rufen? Welches von beiden, Lefebvre oder Velasco? Wir konnten uns darauf setzen und darauf warten, dass sie ankamen, wir beide. Und Tynianov liegt tausend Kilometer von hier entfernt. Nein, entweder wir gehen beide, oder keiner geht.

Alba wollte schon protestieren, als Clara die Hand hob.

-Warte einen Moment.

Sie verließ das Esszimmer und trat in ihr Zimmer.

Wenig später kam sie mit einem Lederetui zurück, das sie auf den Tisch stellte.

-Was ist es?

-Öffnen Sie es und Sie werden sehen...

Alba hob den Verschluss und öffnete den Deckel. Aus dem Inneren kam ein Schimmer, der ihm das Gefühl gab, dass das, was sich darin befand, Feuer war. Aber es waren die beiden merkwürdigsten und teuersten Waffen, die je seine Augen gesehen hatten. Es handelte sich um zwei Pistolen aus massivem Gold, mit Griffen aus Perlmutt und verschiedenen eingelegten Smaragden und Rubinen. Alba war sprachlos.

- Es ist ein Geschenk meines Großvaters.

-Dies sind zwei kostbare Juwelen, die töten. Glaubst du, dass sie wirklich funktionieren? Ich meine, sie schießen echte Kugeln?

-Ich garantiere Ihnen, dass ja. Hier ist die Munition.

Sie zog eine kleinere Schachtel hervor und ließ ein paar Bälle fallen, die ein paar Zentimeter auf den Tisch rollten.

Wir müssen uns nur verstecken und zuschauen, sogar filmen. Aber wenn jemals etwas schief geht, wird es uns aus der Patsche helfen.

Alba wusste nicht, was sie sagen sollte. Am Ende verstand er, dass Bardes' Enkelin nicht nachgeben würde.

-Dem stimme ich zu. Wir werden ein oder zwei Tage warten, um zu sehen, ob Kommissar Tynianov noch etwas anderes vorschlägt. Und wenn nicht, gehen wir.

IV

Kommissar Boris Tynianov hatte von einer Kathedrale in Flammen geträumt, mit Körpern, die wie Tees brannten, Altären, Altarbildern, Tischen, Triptychen, Frontalen und Knien, Skulpturen und Gemälden, Kostümen und goldbestickten Damastgewänden, die alle von den Zähnen des Feuers knisterten.

Sobald er erwachte, kamen ihm Yaichnitsas Worte in den Sinn:

-Barine, das Feuer der Auferstehung ist entzündet.

Ein solcher Albtraum kann nicht Wirklichkeit werden. Allenfalls sollte es auf einer Seite von Dantes *Inferno erscheinen*, und all seine ungeheure suggestive Kraft bleibt zwischen den vier Wänden des Pergaments verborgen, das von der Feder des Florentiners gekritzelt wurde.

Nachdem er zum Frühstück einige Pfannkuchen namens Bliní gegessen hatte, die mit Honig überzogen waren und von Yaichnitsa besser zubereitet wurden als Leo Tolstois Frau selbst, gefolgt von einem Kaffee, verließ er das Haus und war sich noch nicht sicher, ob er in sein Büro oder woanders hingehen würde.

Es gab keine Aufgabe, die die Bezeichnung "dringend" verdient hätte, und so entschied er sich schließlich, auf der *Promenade des Anglais* spazieren zu gehen. Er musste meditieren, und außerdem hatte er es Professor Alba Longa versprochen.

Der Morgen war herrlich, und die Bucht der Engel schien mit Topasöl gefüllt zu sein, bis es sich von einer bestimmten Trennlinie aus plötzlich in flüssigen Lapislazuli verwandelte.

Der riesige Bürgersteig wurde nun von etwa fünfzig Zentimeter hohen Stahlpylonen begrenzt, deren Zweck es war, zu verhindern, dass ein Lastwagen wieder wie ein riesiger Metallbulle in die Menge stürzte. Ihm wurden herzzerreißende Szenen erzählt, an die er sich nicht erinnern wollte. Waren die modernen Kriege mit ihren Bombenangriffen auf die Zivilbevölkerung eine widerwärtige und im Grunde unzulässige Tatsache, so fügt der Terrorismus noch die Feigheit seiner Täter hinzu. Sie sind feige, selbst wenn sie sich selbst in die Luft sprengen, aus dem Grund, warum sie es tun.

Der Grund ist am Ende immer derselbe, der fundamentale Egoismus des Menschen. Was passiert, ist, dass man ihr einen Namen geben muss, der weniger kriecherisch, weniger bodenständig, würdiger ist, in goldenen Buchstaben auf Marmorstein zu erscheinen, weshalb die einen sie Gott nennen und die anderen sie Börse.

Und hier ist der *Negresco*, wo sie sich treffen. Nicht die, die töten, sondern die, die das Töten befehlen. Erstere sind nichts anderes als Wegwerfpuppen. Letztere sind es, die sich das Recht anmaßen, Hummer, die raffinierteste französische Küche und natürlich Kaviar zu probieren. Einige töten, andere sterben und andere, sehr wenige, geben die großen Bankette unter Lampen aus Gold und böhmischem Kristall, umgeben von Kunst und edlen Wäldern.

All diese Menschen haben die heutige Welt zur schlechtesten aller möglichen Welten gemacht. So sehr, dass wir nicht wissen, ob wir glauben sollen, was wir sehen, das ist die Dimension des Schreckens. Genau hier in dieser Nacht gab es Mütter, die sahen, wie das Leben aus den kleinen Körpern ihrer Kinder entwich, die auf medizinische Hilfe warteten. Diese Welt, die du führst, diejenige, die eine Konsequenz deiner Handlungen und Entscheidungen ist, ist ein Fiasko. Und die Gänseleberpastete und die Trüffel, die du verschlingst, ein Diebstahl. Was man da oben für eine Nacht bezahlt, mit Huren und Champagner, ein Skandal.

Tynianov kehrte diesem Mekka des Prunks und der Prunk, der holländischen Laken und der gastronomischen Raffinesse den Rücken zu, um seinen Blick auf das türkisfarbene Meer zu richten, das von Luxusyachten und Segelbooten durchzogen ist. Was würdest du nicht alles tun, um all das zu bewahren, die weißen Gräber, die du bist? Was würdest du nicht alles tun, um den Schwung der Menge zu stoppen, die jetzt in fluoreszierendes Gelb gekleidet ist und von der man annimmt, dass jedes ihrer Mitglieder einen Kaviarsamen, eine Champagnerblase stehlen will?

Professor Alba Longa hat den Eindruck, dass in den kommenden Tagen etwas sehr Starkes passieren wird. Vielleicht ein Feuer in der Kathedrale Notre-Dame in Paris, das sie von allen vier Seiten brennen lassen würde? Wie können wir es wagen, ihm hier, auf dem Bürgersteig *der Promenade des Anglais* in Nizza, zu antworten, dass es unmöglich ist, dass wir in Frankreich leben, einer der sieben großen Wirtschaftsmächte der Welt, der Wiege der Demokratie?

Dem Richter Ullastres gelang es nach einem mühsamen dialektischen Kampf und zahlreichen Schwüren, eine gepanzerte Verschwiegenheit zu wahren, ihn aus dem Munde zu reißen, dessen Zähne knirschten, so fest, daß Ergasters Wohltäter kein anderer als die Freimaurerei selbst sein konnte: *an ihren Werken werden Sie sie erkennen* ... Er sagte wörtlich. *Einen Baum erkennt man in der Tat an seinen Früchten.* Wenn er etwas anderes wusste, behielt er es für sich, tief in seinem Inneren. Er hatte schon zu viel gesagt.

Den Rest konnte Tynianov zu seinem Unglück nur erahnen.

Was ist zu tun? Mit dem Speer in der Hand gegen die Mühlen angreifen? Denn es besteht kein Zweifel, dass jeder, der zum offiziellen Bereich gehört, sagen wird, dass es dort keine Riesen gibt, sondern Mühlen und Mühlen werden sie am Ende werden, so dass die Klinge eines von ihnen ihn von seinem *Rocinante* fallen lässt und ihn in schlechtem Zustand zurücklässt. Geld, Macht und Propaganda verwandeln Giganten in Mühlen und umgekehrt. Wer das nicht versteht, hat nichts von der Welt um sich herum verstanden.

Auf jeden Erklärungsversuch reagiert das offizielle Establishment mit einem Begriff, der Anathema, höchste Empörung, Verrat, Erniedrigung, Fäulnis, Wahnsinn, freiwilliges Aufschieben, Zwangsjacke und Gerüstbau bedeutet. Dieses Wort ist "Plotter" und dient für alles und sein Gegenteil. Man wagt es, mit der Waffe der Reflexion verbotenes Territorium zu betreten und ist ein "Verschwörer". Bestraft mit der radikalsten und absolutesten Ächtung, verdächtigt als neonazistische oder stalinistische, ogerfressende Arbeitsplatzschaffer, diese unschuldigen und zarten kleinen Kreaturen.

Ich hoffe, Professor Alba Longa hat meinen Rat befolgt und ist jetzt in St. Petersburg oder irgendwo in Australien. Wenn er und Clara Bardes zurückkehren, wird die Person, die sie Ergaster nennen, woanders sein und wahrscheinlich die "Verschwörer" mit seinem riesigen fischförmigen Messer abschlachten, eine Tätigkeit, die ihn zu beschäftigt halten wird, um sich an diejenigen zu erinnern, die ihn einst an die Ufer der Lethe gebracht haben. In der Zwischenzeit weiß Gott, was mit Notre-Dame passieren wird...

V

Der Bleistift wurde in seinem Büro installiert, von wo aus er mit einem einfachen Blick nach oben Paris beherrschte. Vor ihm lag eine aufgeschlagene Mappe mit einer zwei Finger dicken Ranke aus Blättern. Von Zeit zu Zeit strich er ein Wort durch und ersetzte es durch ein anderes. Auf der anderen Seite des Tisches hatte er befohlen, den üblichen Stuhl gegen einen anderen zu tauschen. Er plante den Besuch von Bemoz.

Der Riese wartete nicht lange, um ehrerbietig an die Tür zu klopfen.

-Herein.

- Guten Morgen, Meister.

-Setz dich.

Das alles hatte er gesagt, ohne sich herabzulassen, auf die Laken zu blicken, die seine ganze Aufmerksamkeit in Anspruch nahmen. Er, der Sohn eines mittelständischen Kapitalisten, eines einfachen Bourgeois, hatte schließlich ein Wirtschaftsimperium aufgebaut und in reine Macht verwandelt. Auf jeden Fall ein Paket von maßloser Macht, das er nur mit einer Handvoll Menschen auf der Welt teilte. In diesem Augenblick kamen dicke Riesen wie der vor ihm, um ihm wie Tauben aus der Hand zu fressen. Ein echter *Tyrannosaurier Rex* , der schnurrt und sich liebevoll an den Schläuchen seiner Hose reibt.

Er korrigierte das Blatt vor sich und richtete seinen Blick auf seinen Gast.

»Das alles«, sagte er, indem er seine winzigen Schlehen auf den riesigen Bemoz richtete, »sind die Befehle, die in den Tagen nach dem sensationellen Ereignis zu geben sind, und die Reden, die zu halten sind. Von Instruktionen und Reden an den Präsidenten bis hin zu denen, die an den letzten Affen der Republik geschickt wurden. Hier ist praktisch alles versandfertig. Die Anweisungen sind heute, Freitag, dem letzten Werktag der Woche, fällig. Am Montag wird es spät. Wir warten auf eine Sache, Ihre Bestätigung, dass alles miteinander verbunden und gut verknüpft ist.

"Alles ist bereit, Meister. Obwohl kleine unvorhergesehene Ereignisse immer passieren, ist es wichtig, sie unter Kontrolle zu haben, und wir haben sie.

-Erklären Sie sich.

Der Zufall veranlasste Bardés' Enkelin, den Agenten zu identifizieren, der für die Aktion verantwortlich war. Ihr wisst schon, mein neues Spielzeug. Das kleine Mädchen suchte Hilfe bei einer Lehrerin namens Alba Longa, die auch den Hindu kennt. Schließlich nahm er Kontakt mit einem Kommissar auf, Boris Tynianov. Der Kommissar hält sich jedoch derzeit in Nizza auf. Und alle drei stehen unter strenger Beobachtung. Die ersten beiden sind offensichtlich Schrott und werden wie Vögel in eine kleine Falle tappen, die wir für sie vorbereitet haben. Was den Kommissar anbelangt, so haben meine Leute Befehl, ihn ohne Umstände zu beseitigen, wenn es ihm in den Sinn käme, einen Fuß nach Paris zu setzen.

Der Bleistift runzelte ein wenig die Stirn über die riesigen Augenbrauen, die zu beiden Seiten aus seinem spitzen Gesicht herausragten. Ein Kommissar, kein Geringerer, der versucht, einen Stock in die Räder des Wagens zu stecken, sein eigener. Es stimmt, eine einzige Schwalbe macht noch keinen Frühling. Ein verirrter Vogel wird nicht in der Lage sein, Wolken aufzulösen, die Sonne freizulegen, die Temperaturen zu erhöhen und Blumen zu den Bäumen zu bringen. Lass ihn allein den Elementen trotzen. Natürlich, wie er sagt, unter strenger Überwachung, und sobald er einen Fehltritt macht oder verbotenes Gebiet betritt, wird er die Purpur verrotten lassen.

-Gehen Sie kein Risiko ein. Vor allem mit dem Kommissar. In diesen Situationen gibt es keinen Raum für Zweifel. Beim geringsten Verdacht auf Gangrän wird das Organ auf der gesunden Seite abgeschnitten.

"Das war schon immer meine Philosophie, Meister. Für heikle Themen natürlich...

-Auf jeden Fall, wenn die Dinge aus dem Ruder laufen, zögern Sie nicht, mich zu informieren. Heute Nachmittag, sobald die ganze Post abgeschickt ist, wird ein Güterzug in Gang gesetzt. Obwohl es schwierig ist, kann man einen fahrenden Zug immer anhalten. Es sei denn, es ist in letzter Minute...

- Hören heißt gehorchen.

-Das ist alles. Du kannst weggehen.

Die ungeheure Menschlichkeit von Bemoz begann sich zu erheben, als hätte es ein Erdbeben gegeben, das eine Bergplatte anhob, um eine andere zu versenken. Seine Schritte ließen den Boden knarren, bis sie durch die Tür verschwanden.

Allein gelassen, erhob sich der Bleistift aus dem gepolsterten Sessel zum Fenster. Ganz Paris lag ihm zu Füßen, aber nicht alle. Er hatte Angst. Wenn er versagte, würden ihm die Masken nicht verzeihen. Die Masken erheben nie ihre Stimme, aber sie ignorieren das Mitleid. Sie verlangen Taten, keine Worte. Und die Taten müssen zufriedenstellend gelöst werden, denn sonst verlieren sie, wir alle verlieren, Ströme von Gold, dass sie mit dem Meer verschmelzen, mit anderen Worten, der Tod, der um so mehr gilt für den, der versagt. Bisher hatte der Bleistift noch nie versagt, weshalb sie ihn dort angehoben hatten, wo er war. Diesmal war er jedoch gezwungen, zu viele Risiken einzugehen. In Frankreich brach die Gelbe Revolution aus, die einen gewaltigen Herrschaftsplan bedroht, der seit mehr als dreißig Jahren ausgearbeitet wurde. Nichts ist logischer, als einen Franzosen zu ernennen, der gut aufgestellt ist, um es anzugehen.

Er war gut aufgestellt, er hatte mehr als die Hälfte der politischen Klasse des Landes gekauft und es geschafft, seinen Schützling an die Spitze der französischen Machtpyramide zu setzen, die ihm wie eine Leiche gehorcht, obwohl er es verzweifelt schlecht macht.

Dies scheint jedoch nicht auszureichen. Propaganda reicht nicht mehr aus, obwohl sie von allen öffentlichen und privaten Medien ausgeht. Der Leviathan, also das Volk, ist aufgewacht und öffnet seine bedrohlichen Kiefer und zeigt seine doppelte Zahnreihe wie scharfe Feuersteine, so groß wie Bergsteine. In dieser Phase reichen warme Lappen nicht mehr aus, außergewöhnliche Maßnahmen sind dringend erforderlich. Auf die großen Übel müssen die großen Heilmittel angewandt werden. Dies ist die Zeit für massive Terroranschläge und sogar Kriege. Es gibt keine Moral. Das hat es noch nie gegeben. Es gibt nur Gewinnkurven. Sie können kurzfristig Geld verlieren, aber niemals langfristig.

Hoffentlich sind die Götter auf unserer Seite, und wenn es funktioniert, wird es das kleinere Übel sein. Sonst müssen wir eine weitere Stufe erklimmen. Aber er wird es nicht mehr tun. Und vielleicht ist er gar nicht hier, um es zu sehen...

VI

Da Kommissar Tynianov am Freitagabend nicht angerufen hatte, um sie auf den neuesten Stand zu bringen, waren Clara und Alba der Meinung, dass es an ihnen lag, die Dinge vor Ort zu erledigen, und so begannen sie, einen Plan zu entwickeln, der es ihnen ermöglichen würde, die Nacht in der Kathedrale zu verbringen und auszuspionieren, was innerhalb der Mauern geschah.

Da Alba keine Zeit gehabt hatte, sich mit dem Zugang durch die Kanalisation zu beschäftigen, beschlossen sie, dass es am einfachsten sei, sich einen Ort zu suchen, an dem sie sich verstecken und dort bleiben konnten, bis es geschlossen wurde.

Clara, die das Innere des Gebäudes gut kannte, schlug eine Lösung vor. Neben dem Gerüst, an dem sie zu dieser Zeit arbeitete, gab es eine Nische, deren Skulptur entfernt worden war, um sie an einem bequemeren Ort zu restaurieren. Es war eine dunkle Ecke und bot genug Platz, um bequem zwei Personen unterzubringen, die jeweils hinter den Leisten an den Enden geschützt waren.

Eine solche Wahl hatte den Vorteil, dass sie, wenn man sie auf das Gerüst klettern sah, obwohl sie am Samstagnachmittag nicht arbeitete, behaupten konnte, sie sei ausnahmsweise gekommen, um ein spezielles Präparat zu entfernen, das sie auf die Farbe aufgetragen hatte, sonst könnte es schief gehen. Der einzige Moment der Spannung in der Vorbereitungsphase war Albas Aufstieg auf die Spitze des Gerüsts. Seine Anwesenheit dort wäre schwieriger zu rechtfertigen. Alba wartete dort, wo er es zu tun pflegte, auf seiner gewöhnlichen Bank, und auf ein Zeichen von Clara ging er vorwärts und kletterte so natürlich wie möglich.

Sobald sie die Runde der Wache hinter sich gelassen hatten, konnten sie das Versteck verlassen, um ein anderes ähnliches zu besetzen, das jedoch den Vorteil hatte, dass sie von dort aus den Eingang der Treppe kontrollieren konnten, die durch die Türme zur

Spitze der Kathedrale hinaufführte. Vermutlich müsste Ergaster das durchmachen.

Dann würden wir sehen, wo er hingeht, um in die Kanalisation zu gelangen, was er zweifellos tun wird, wenn er den ganzen Tag in seiner Hütte verbracht hat. Und wenn es ihm nicht gelungen ist, den Trieb, der ihn zu Mord und Folter führt, vollständig auszulöschen.

Die Aktion ist gefährlich, sicherlich, aber nicht so sehr. Alles, was sie tun müssen, ist, sich zu verstecken, zu beobachten und auf jeden Fall ohne Risiko zu filmen, nur Bilder, die sie von ihrem Wachturm aus einfangen können.

Im schlimmsten Fall, wenn etwas schief geht, sind beide bewaffnet.

"Wenn man bedenkt, wie gefährlich Ergaster ist", warnt Alba, "sollten wir nicht zögern, zu schießen, wenn wir uns bedroht fühlen.

Clara nickte. Denn nichts in der Welt würde die Szene noch einmal erleben wollen, die sich in der Villa neben der seines Großvaters abspielte, mit diesem ekelhaften Sadisten, der bereit ist, sie zu zerschneiden, mit aller Sparsamkeit der Welt, bis das Leben langsam erlischt, wie der Docht, dem allmählich der Sauerstoff entzogen wird.

Alba dachte dasselbe. Und wenn er nicht davon überzeugt gewesen wäre, dass das Leben vieler Menschen und ein Juwel des kulturellen Erbes der Menschheit in Gefahr sei, würde er als jemand, der dem Teufel aus dem Weg geht, den Plan meiden, den sie entworfen haben, und jeden anderen, der das Meer nicht zwischen sich und dieses schreckliche Ungeheuer bringen sollte.

» Das Warten wird sehr angespannt sein «, sagte die junge Frau. –

"Vielleicht ist es das Vernünftigste, uns heute Abend abzulenken. Gehen Sie aus, essen Sie zu Abend, trinken Sie etwas und bleiben Sie lange auf. Wenn auch nicht so sehr, denn morgen wäre es angebracht, in der Nähe der Kathedrale zu sein, bevor die Polizei anfängt, falsch und wahllos zu suchen. Es wird Samstag sein, der Tag der Gelbwesten, und denkt daran, dass wir bewaffnet sein werden.

-Es stimmt. Gegen zehn Uhr wäre es besser, dort zu sein.

"Das scheint mir vernünftig zu sein", sagte der Professor. –

- Na dann, dann fangen wir mit der Toilette an. Es ist Zeit.

Damit, dachte Clara, könnte dies die letzte Partynacht meines Lebens sein. Lass uns entsprechend kleiden und komponieren und sie wählt das engste und kürzeste Kleid, das sie besaß. Es war natürlich nichts Skandalöses, sie hatte es in Gesellschaft von Alba gewählt. Aber es war das Sexieste, was sie je in ihrem ganzen Leben getragen hatte. Für alle Fälle, obwohl sie es angesichts des übertrieben ehrlichen Verhaltens des Professors nicht allzu sehr glaubte, wählte sie entsprechend eine Unterwäsche. Dann schminkte sie sich sehr geschickt, um nicht zu weit und nicht zu weit zu gehen. Abgerundet wurde das Outfit schließlich mit Schuhen mit Stiletto-Absätzen.

Als sich die beiden im Wohnzimmer trafen, konnte Alba nicht anders, als auszurufen:

-Mein Gott. Sie wurde zu einer atemberaubenden Frau.

Klaras fröhliches Lachen klang wie eine silberne Glocke, aber sie errötete heftig.

- Freut mich, dass es dir gefällt. Du hast auch einen schönen Look mit diesem Sommerkostüm.

- Ich werde alle Pariser neidisch machen.

– Glauben Sie nicht, die Pariser brauchen viel mehr als das, um ihre Augen abzulenken.

- Meine Augen hingegen platzen.

Clara näherte sich ihm, legte ihre Hand auf seine Krawatte und streichelte den Knoten.

Ist dir klar, dass du mir sehr, sehr, schmeichelhafte Komplimente machst?

-Es stimmt. Lass uns rausgehen, um frische Luft zu schnappen, dass ich sie wirklich brauche.

Clara lächelte.

-Auf geht es.

Sobald sie den Bürgersteig betraten, legte Clara ihren Arm um seine Taille und ließ ihren Körper an seinem kleben.

- Ich muss mich auf dich verlassen. Ich habe noch nie so hohe Absätze getragen und ich habe Angst vor einem berühmten Sturz.

Aber sie sagt es mit einem charmanten Lächeln. Mit einem Hauch von funkelnder Bosheit in seinen Augen.

Alba schob die Schuld auf die Reibung dieser prallen und seidigen Form. Daran sei nichts auszusetzen. Dies ist nichts anderes als ein etwas pikantes, wenn auch unschuldiges Spiel. Zu Beginn der Nacht ist es nicht gefährlich. Und er legte seinen Arm um ihre Schultern und zog sie noch mehr an sich.

Heute werden wir ein Paar spielen, versprach sich Clara.

Notre-Dame zog sie wie ein Magnet an. So trugen sie stillschweigend und unbewusst ihre Füße auf *die Île Saint-Louis*. Sie wählten ein Restaurant, das diesmal von der lokalen Tradition inspiriert ist und sich in unmittelbarer Nähe der Kathedrale befindet, in der *Rue Chanoinesse*.

Es war ein unauffälliger Ort mit einer intimen Atmosphäre. Die Nachbarschaft der anderen Kunden hinderte sie daran, über das entscheidende Thema zu sprechen, das sie ergriffen hatte. So vergaßen sie durch die Umstände beinahe, obwohl sie im Hintergrund war, und wenn sie aufblickten, sahen sie sie. Die beiden schienen jedoch entschlossen zu sein, die Dinge genau zu betrachten, ohne viel Perspektive, weder zeitlich noch räumlich. Tatsächlich sahen sie sich an, mehr als alles andere. Und sie fanden es gut. Barrieren und Hemmschwellen sowie Vorurteile fielen. Vor allem in seinem Kopf. Warum sich nicht von der Trägheit des Augenblicks mitreißen lassen? Zwischen ihnen war eine Art Magnetfeld entstanden, eine spürbare Erregung. Clara hatte sich als so charmant, so anziehend und verführerisch erwiesen... Und obwohl er reif war, war er noch nicht tot. Warum nicht die Denkmaschine und die Konventionen auch nur vorübergehend zum Stillstand bringen?

Der Abend im Restaurant hatte eine halluzinogene Wirkung. Alles schien um ihn herum und in seinem Bewusstsein verhüllt, obwohl es mit einer funkelnden Patina bedeckt war. Clara hatte recht, wenn jeder sie als Paar ansah, warum sollte man sich dann nicht auch so verhalten? Der Schaden, wenn es einen gibt, ist sozusagen angerichtet. Dann werden wir auf jeden Fall sehen, ob wir in der Privatsphäre der Wohnung dieser Trunkenheit Grenzen setzen müssen oder können.

Als sie das Restaurant verließen, kamen sie am anderen Ufer der Seine vorbei und begannen von dort aus die beleuchtete Kathedrale zu betrachten. Sie wurden umarmt, weil sie nicht mehr anders wussten. Wenn sie nicht von einer Welle der Angst überwältigt worden wären, hätten sie sich umarmt, denn das Verlangen kämpfte entschlossen gegen die Furcht.

Sie sahen sich in die Augen, ihre Körper wurden zusammengefügt, und die Natur forderte ihren Anteil. Trotzdem zwang sie eine überlegene Macht, den Blick abzuwenden in Richtung der erleuchteten Kathedrale, die wie aus Gold vergoldet war und unter dem Sternenhimmel leuchtete.

»Ergaster ist natürlich da«, flüsterte Klara. – Seine Gegenwart ist wie ein stiller Donner.

Beide begannen, jedes Detail des magischen Gebäudes zu untersuchen, das gierig und habgierig ihre Aufmerksamkeit verlangte. Jeder Gargoyle erschien ihnen wie ein Ungeheuer aus Fleisch und Blut, das sie aus der Ferne beobachtete.

In der nächsten Nacht, zur gleichen Zeit, würden sie dort drin sein. Und wenn diese lebendige Verirrung, diese höllische Chimäre darin steckte, wie es ihre Intuition nahelegte, sie fast anschrie, würden sie es sehen.

Diese eingebildete Vision des Schreckens hatte sie vor drei Jahren in dieses dunkle und verlassene Haus versetzt, wo dieses entstellte und verdorbene Wesen sie gefangen gehalten, gefesselt und geknebelt hatte und sich anschickte, ihnen die grausamste Folter zu verabreichen, die in der Geschichte aufgezeichnet wurde und unweigerlich mit dem Tod endet. Zum langsamsten und grausamsten aller denkbaren Tode.

Schließlich kamen sie zur Besinnung und erkannten, dass diese Kontemplation ihren Verstand untergrub, und ohne ein Wort zu sagen, gingen sie weiter.

VII

Auf der Suche nach verdächtigen Details auf die Umwelt zu achten, war für Kommissar Boris Tynianov eine Selbstverständlichkeit, auch außerhalb der offiziell beauftragten Ermittlungen. In seinem Privatleben, in seiner Freizeit, musste er weiterhin streng wachsam sein auf alles, was um ihn herum geschah. Viele Verbrecher, die wegen seines beruflichen Eifers und seines unbestreitbaren Scharfsinns in vier Wänden lebten, würden sich gerne rächen. Und tatsächlich haben es einige versucht. Ergaster, ohne weiter zu gehen.

Deshalb bemerkte er am Freitagabend ein verdächtiges Fahrzeug, das auf dem gegenüberliegenden Bürgersteig geparkt war. Und im Inneren ein Individuum, das alle Merkmale der Spionagerolle in jedem Film des Noir-Genres verklumpt und die Zeitung liest.

Am nächsten Tag verschwand er, wurde aber durch ein anderes Fahrzeug und einen weiteren Zeitungsleser ersetzt.

Tynianov beschloss, es zu testen und verließ das Haus. Er merkte schnell, dass das Subjekt ihn tatsächlich verfolgte. Two Spies war bereits eine Organisation.

Um seine Abreise zu rechtfertigen, machte er einen Spaziergang auf dem Maritimen Boulevard.

Eine zwielichtige Angelegenheit, dachte er bei sich. Er war sich sicher, dass dies auf das Interesse zurückzuführen war, das er an den Ereignissen in Paris gezeigt hatte. Es war sicherlich seine Leichtigkeit, Lefebvre kontaktiert zu haben, die ihnen den Chip in die Ohren gesteckt hat. Und obendrein stellt sich heraus, dass er Freimaurer ist.

Er kehrte in seine Wohnung zurück und die kleine Eule zu seinem Olivenbaum.

Nun, warum werde ich beobachtet? Was glauben sie, was ich in Nizza gegen die Ereignisse in Paris tun kann? Haben sie Angst, dass ich dort abstürze und auf eigene Faust zu recherchieren beginne? Auf der anderen Seite verbirgt derjenige, der Angst hat, etwas. Das ist fast ein Beweis dafür, dass der Verdacht, sowohl von Professor Longa als auch von mir, wahr ist. Sind nicht bereits zwei Kommissare vor Ort, die sich mit dem Fall befassen? Warum fürchten sie dann die Ankunft eines dritten, unabhängigen? Die Antwort liegt auf der Hand: Weil eine Katze eingesperrt ist. Es ist unglaublich, dass de Velasco und Lefebvre eine einvernehmliche Maßnahme ergreifen, die im besten Interesse und nicht im Interesse der Untersuchung selbst steht. Kein Wunder also, dass sie über die Anwesenheit von Eindringlingen verärgert sind.

Mir geht es jedoch nicht darum, was getan wird, sondern darum, was letztendlich getan werden kann. Glauben sie, dass ich es vermute? Diese Frage ist schwer zu beantworten.

Sie wollen nicht, dass ich gehe, das scheint offensichtlich. Aber was könnte ich alleine tun, ohne fremde Hilfe und ohne offizielle Unterstützung? Nicht nur, dass ich Letzteres nicht hätte, sondern alles, was von dieser Seite erwartet werden kann, ist eine offene Opposition. Soll ich ins Pfarrhaus gehen und den Erzpriester bitten, mir das Zimmer zu zeigen, in dem Ergaster wohnt? Zehn Minuten, nachdem ich mein Beglaubigungsschreiben vorgelegt habe, hätte ich Velasco und Lefebvre vor mir, die mich am liebsten zerreißen würden.

Wenn ich wenigstens das geringste Beweisstück hätte, auch wenn es nicht schlüssig war, nur ein Meilenstein, der den Grundstein für die Einleitung einer Untersuchung legen könnte, auch wenn es sich um eine nicht autorisierte und daher geheime Untersuchung handelte. Etwas Objektives, das eine wichtige Vermutung war, eine dokumentierte Angst, dass eine Katastrophe eintreten könnte. Aber da ist nichts dran, nur Spekulation. Das ist natürlich sehr plausibel. Leider beginnt und endet sie im rein intellektuellen Bereich. Wenn die Hierarchie mir Vorwürfe machen würde, hätte ich nichts zu erwidern.

Wenn sie jedoch Angst haben, dass ich gehe, dann deshalb, weil sie glauben, dass ich etwas tun kann. Was? Weitere Überlegungen sind erforderlich.

Ist es die Möglichkeit, dass ich vor der Tür der Kathedrale stehe und drei, vier Tage auf das Ereignis warte, um zu versuchen, es in letzter Sekunde zu verhindern? Nicht einmal, dass sie es mir nicht erlaubten. Sie würden einen Weg finden, mich ins Abseits zu drängen.

In jedem Fall scheint jede Maßnahme im Moment verfrüht. Am Montag werde ich den Professor oder Clara anrufen, und wenn sie noch in Paris sind, hoffe ich nicht, zu ihrem eigenen Besten, aber wenn sie es sind, werde ich sie bitten, ihre Eindrücke von der Atmosphäre der Kathedrale mitzuteilen, ich werde sie sogar bitten, in gewisser Weise meine Augen und Ohren dabei zu sein. Das ist heute nicht angebracht, denn ich weiß, dass Clara samstags nicht mehr arbeitet. Und morgen, Sonntag, natürlich auch nicht.

Er warf noch einmal einen flüchtigen Blick durch die Fenstertür. Da war immer der Typ, gelangweilter als eine Auster in der Karnevalszeit. In der Zeitung wird er sogar schon die Immobilienanzeigen und Anzeigen gelesen haben.

Dann hörte er Yaichnitsas Stimme hinter sich:

-Barine, der Tisch ist fertig.

Tynianov zuckte mit den Schultern und ging in die Küche. Wenn sie keine Gäste hatten, aßen sie in der Regel dort.

Auf einem laktseligen Tischtuch sah der Kommissar den Hungerlohn, den die alte Jungfer arrangiert hatte. Immer traditionelles russisches Essen. Er hob den Deckel der Suppe und entdeckte, dass es Borschtsch, eine Art Rote-Bete-Suppe, Vareniki, Nudelknödel gefüllt mit Kartoffeln, Pilzen, Kohl usw. gab. Und zum Schluss gesalzener Hering, serviert mit Roggenbrot und geschnittenen Zwiebeln.

Als der Zar seine Winter in Nizza verbrachte, hätte er nicht mehr russisch gegessen als bei Jaitschniza zu Hause.

VIII

Obwohl die Route, die sie nach Notre-Dame führen sollte, weit von der für die übliche Demonstration an diesem Samstag geplanten Route entfernt war, war die Stimmung zu dieser frühen Stunde bereits ungesund. Überall war Polizei, auch wenn sie immer noch keine Kontrollen durchführte.

Clara hatte in ihrer Tasche die beiden teuren Pistolen und Munition. Beide erkannten, dass sie sich nicht den besten Tag ausgesucht hatten, wenn sie ihn gewählt hatten, oder die Abfolge der Ereignisse selbst. Sie waren der Meinung, dass im Falle einer Gefahr, die eine Kathedrale betraf, die bevorstehenden religiösen Feste darauf hindeuteten, dass die Zeit ablief. Wenn es sich tatsächlich um einen Angriff handelt, der Fleisch werden soll, wird er während einer der vielen Feierlichkeiten stattfinden, die in dieser Zeit geplant sind.

Auf der Île Saint-Louis angekommen, fühlten sie sich sicherer. Glücklicherweise war das Wetter schön, so dass es angenehm war, spazieren zu gehen oder auf einer Bank zu sitzen, um die Seine zu betrachten.

Das Warten wurde unterbrochen von gelegentlichen Übergriffen auf die Terrasse, das Restaurant zum Mittagessen und die Bar am Nachmittag.

Im Laufe der Stunden stieg die Spannung. In solchen Fällen spielt die Phantasie gewöhnlich einen Streich, denn sie hört nicht auf, sich die mannigfaltigsten und manchmal auch extravagantesten Gefahren auszumalen. Aber sie mussten es tun, sie konnten angesichts einer solchen Katastrophe nicht tatenlos zusehen.

Es gab noch einen anderen Grund, den sie nicht bewusst zugeben wollten, aber es funktionierte heimlich für sie. Allein die Vorstellung, dass Ergaster lebendig und frei ist, mit all seinen ruchlosen Fähigkeiten intakt und wahrscheinlich mit der Absicht, sich zu gegebener Zeit an denen zu rächen, die ihn an den Rand des Todes gebracht haben, würde es ihnen niemals erlauben, ein ruhiges und friedliches Leben zu führen. Auch ohne die traurige Nachricht zu kennen, waren sie viele Male mitten in der Nacht schweißgebadet aufgewacht, wegen des wiederkehrenden Alptraums, der sie zu den schrecklichsten Momenten ihres Lebens führte, als sie gefesselt und geknebelt wurden vor jenem morbiden Altar, auf dem diese Sammlung verstörender Messer ausgestellt war und wo das Ungeheuer bereits vor Freude über das extreme Leid seiner Opfer sabberte. nicht die Protagonisten eines Films, sondern sich selbst. Es war ihr eigenes Fleisch, das geöffnet, seziert, seine Organe amputiert und ihrer Betrachtung ausgesetzt werden sollte.

Wenn die korrupten Vertreter des Gesetzes einen so geisteskranken Menschen freigelassen hätten, der eine Bedrohung für jeden darstellt, der seinen Weg kreuzt, hätten sie als direkt Beteiligte die Pflicht gehabt, bei der Korrektur des Fehlers, des Verfahrensfehlers, oder vielleicht sollten wir besser sagen, der Degeneration, der Fäulnis zu helfen.

Die Sonne stand dicht an der Skyline und ruhte bereits auf den Gebäuden im Westen der Stadt. Es war an der Zeit, einzusteigen.

Clara trat vor. Als Alba das Kirchenschiff betrat, stand sie bereits auf dem Schafott.

Der Lehrer saß auf der üblichen Bank und wartete.

Die Touristen hatten die Kathedrale verlassen. Vielleicht wäre die letzte Expedition nach oben die Treppe hinunter zu kommen. Nur wenige Selige beteten noch vor einigen Kapellen.

Clara winkte ihm zu. Alba ging, ohne nach rechts oder links zu schauen, zum Schafott und kletterte, ohne darauf zu achten, was um ihn herum geschah. Clara musterte, aber niemand hatte auch nur einen Blick auf diesen Teil des Tempels geworfen. Und als sie es immer noch nicht taten, bedeutete sie Alba, ihr zu folgen.

Die Nische befand sich direkt neben der Stelle, an der das Gerüst endete. Es reichte, sich an der Kante festzuhalten, den Fuß hinein zu stecken und mit dem Arm zu drücken. Clara tat es zuerst und Alba ahmte es ihr nach.

Im Inneren war mehr Platz, als Alba sich vorgestellt hatte.

-Haben Sie Ihr Telefon auf lautlos gestellt?

"Ja", antwortete die junge Frau. –

Nach einer Weile rumpelten die Schläge im Kirchenschiff. Jemand schloss die Türen der Kathedrale. Und tatsächlich, ein paar Augenblicke später sahen sie, wie der Wächter an ihm vorbeiging, um auch die Seiteneingänge zu schließen.

Nachdem dies geschehen war, löschte er die Lichter und die wenigen Kerzen, die noch brannten, und zündete eine Taschenlampe an. Er begann mit der Durchführung der ersten Inspektionsrunde.

An der Kapelle angekommen, in der sie sich befanden, richtete er den Lichtstrahl auf die Nische. Als guter Kenner der Kathedrale wusste er, dass sie ein großartiger Ort war, um sich zu verstecken, besonders wenn das Gerüst direkt nebenan stand. Nun, es war eine Sache, es aus der Ferne zu inspizieren, und es war eine andere, hinzugehen und genau zu überprüfen, ob niemand da war. Klugheit herrschte in ihm, besonders in der Zeit, als das Verschwinden des Sakristans erst vor so kurzer Zeit war. Er ignorierte es.

Alba und Clara hielten den Atem an.

"Er schaute so eindringlich zu, dass ich dachte, er würde hinaufgehen", flüsterte er. –

-Er muss eine Liste von Punkten, sagen wir sensibel, auf dem Platz haben. Aber glücklicherweise machte er sich nicht die Mühe, seine Verpflichtungen gewissenhaft zu erfüllen. Vielleicht macht er es einmal in der Woche. Oder einmal im Monat...

Dann sahen sie, wie er das Kirchenschiff durch ein Tor verließ, das sich vor ihnen im Querschiff befand.

»Er geht nach Hause,« sagte Klara, »er hat seine Privaträume in der Kathedrale.

Für ihn gibt es in der Hauptverkehrszeit keine Staus.

Ein langes Warten im Schatten begann. Aber sie rührten sich nicht von ihrem Versteck, weil sie wußten, daß gegen zwölf Uhr eine zweite Runde war.

In der Tat, nachdem das Mitternachtsgeläut ertönt war, öffnete sich das Tor, das zuvor die Wache umschlossen hatte, das in der Stille der Nacht ebenso viel Lärm gemacht hatte, wie die riesigen Türen der Eingänge zuvor verursacht hatten. Von dort kam der bläuliche Strahl der Laterne des Wärters.

Diesmal fiel ihnen auf, dass sein linker Arm parallel zum Körper hing. Sie schauten genau hin und sahen, dass er eine Waffe bei sich trug. Wird er sich aus diesem Grund sicherer fühlen und bei der Inspektion eine größere Strenge an den Tag legen?

Er verschwand aus ihrem Blickfeld, und sie nahmen nur von Zeit zu Zeit den bläulichen Lichtstrahl wahr, der den weiten Raum des Kirchenschiffs durchdrang. Plötzlich sahen sie ihn ganz unten. Und wie zuvor schien er mit einem Lichtspatel am Boden eines Joghurtbechers zu wühlen. Bei dieser Gelegenheit war er neugieriger, er erweckte den Eindruck des Zweifels. Er bewegte sich nach links und rechts, um den kontrollierten Innenraum zu vergrößern.

Schließlich war er einigermaßen zufrieden und zog weiter.

- Er hatte Zweifel, was? Diesmal zögerte er, nach oben zu gehen. Obwohl er wieder einmal Angst hatte.

»Versetzen Sie sich in seine Lage,« sagte Klara. – Die Zeitungen berichten weiterhin ausführlich über das Verschwinden in Paris. Und der letzte ereignete sich vermutlich in der Kathedrale. Denn nach Meinung aller hat Fabrice sie nie verlassen. Es war sein Aquarium, und er war der Fisch.

"Lass uns gehen", schlug Alba vor. – Wenn Ergaster wirklich an der Spitze ist, wird er bald untergehen.

Sie verließen ihr Versteck, stiegen die eisernen Stufen hinab und durchquerten eilig das Querschiff. Ihre Beine waren taub, und diese Übung tat ihnen gut.

Sie kletterten auf das neue Gerüst und besetzten den anderen Wachturm. Es war eine Zwillingsnische zur vorherigen.

Da sie nicht mehr mit einer weiteren eingehenden Inspektion rechneten, ließen sie sich drinnen nieder, saßen Seite an Seite und schützten sich in der Dunkelheit.

Sie warteten etwa fünf Minuten, als auf diese Weise ein Lichtschein im Kirchenschiff auftauchte, aber nicht dort, wo sie ihn erwartet hatten, nämlich an dem einen oder anderen Ende der Türme, sondern auf der linken Seite, im Bereich des Altars, der vor ihnen verborgen war.

Das Leuchten wurde immer intensiver. Zweifellos kam jemand auf sie zu. Aber nicht unten, sondern durch das Triforium. Am Ende kam eine Erscheinung aus dem Jenseits des Grabes, den Schrecken, den sie am meisten fürchteten, mit einer Laterne in der Hand. Alba erkannte diese Laterne; Ähnliches hatte er im Kanalisationsmuseum gesehen. Es war die Laterne, die von der Kanalisation benutzt wurde. Seine Intuition hatte sich als richtig erwiesen. Wahrscheinlich hatte er irgendwo im Netz ein vergessenes Exemplar gefunden und beschlagnahmt.

Er bewegte sich wie das Gespenst eines Verdammten, schwebte in der Dunkelheit, eingehüllt in ein höllisches Licht. Ein Kälteeinbruch erschütterte die Körper der beiden Betrachter.

Das Gespenst näherte sich langsam der Tür, die den Zugang zur Treppe des Turms gewährte, um wenige Augenblicke später an seinem Fuße zu erscheinen. Dann tat er etwas Erstaunliches, ging vor dem Taufbecken in die Hocke und stand dann auf. Nachdem er dies getan hatte, ging er die Treppe hinab, die zur Krypta führte. Das Licht ging aus.

- Was hat dieser Teufel vor dem Haufen gemacht? fragte Clara. -? Hat sich dieser Dämon nicht mit Weihwasser beschriftet?

- Ich habe den Eindruck, dass ich eine Ahnung davon habe, was er getan hat. Auf geht es.

Sie stiegen hinab und durchquerten die Mitte des Kirchenschiffs mit raschem Schritt in Richtung des Taufbeckens.

Alba bückte sich und holte einen Gegenstand.

-Was ist es? Clara wollte es ängstlich wissen. –

-Eine Taste. Und ich wette, seine Farbe ist rot.

Clara benutzte hastig die Taschenlampe ihres Laptops. In der Tat war es ein normaler Schlüssel, wie der jeder Wohnung, nur rot.

-Das rote Passepartout!

-Das stimmt.

Clara schaltete hastig die Taschenlampe aus.

- Und warum hat er es hier gelassen? »

-Aus drei Gründen. Weil er weiß, dass ihn hier niemand anfassen wird, natürlich für den Rest der Nacht. Zweitens, weil er fürchtet, es zu verlieren in seinem Wandern, vielleicht sehr beschäftigt in der Kanalisation. Schließlich, weil er es nicht braucht, um die Kathedrale zu verlassen, da vermutlich die Tür, die zur Kanalisation führt, immer offen steht.

-Was machen wir?

Wir haben noch mindestens ein paar Stunden vor uns. Höchstwahrscheinlich die ganze Nacht.

- Um was zu tun?

- Gehen Sie zuerst dorthin, wo er war, um den geheimen Ausgang der Kathedrale zu entdecken. Wer weiß, ob wir es nicht brauchen werden... Dann schau dir an, was sich in seinem Versteck befindet.

Als sie anfingen, die ersten Stufen hinabzusteigen, sahen sie dort noch das Licht. In sicherer Distanz folgten sie dem deformierten Monster. Schließlich sahen sie, wie er eine morsche, gezackte Holztür aufstieß.

Sie warteten fünf Minuten und näherten sich ihr.

Vorsichtig öffneten sie es. Es war nicht nötig, Licht ins Dunkel zu bringen, was dahinter steckte. Sie hörten mit vollkommener Klarheit das Geräusch von fließendem Wasser.

Sie stiegen auf den Boden des Kirchenschiffs und unternahmen es anschließend mit der Treppe des Turms.

Ergaster war hier, als ich ihn sah.

Beide warfen einen raschen Blick über die Schulter des Wasserspeiers, der sie ebenfalls von dieser Position aus anstarrte, in Richtung der erleuchteten Stadt.

-Am Ende dieses Korridors sollte sich die Kabine dieser Chimäre befinden.

Der Korridor schien um diese Uhrzeit ziemlich unheimlich zu sein. Die riesigen Strahlen warfen Schatten, die an Silhouetten von Riesen erinnerten. Sie fühlten sich, als wären sie auf dem Dach von Draculas Schloss.

Es gab mehrere Türen, aber nur eine hatte ein Schloss.

Alba führte den roten Pass ein und verwandelte ihn. Es drehte sich. Es blieb abzuwarten, ob die Tür nicht Widerstand leistete, wie es bei Fabrice der Fall war. Diesmal gab sie nach. Logisch, dachte Alba bei sich. Sein Bewohner befindet sich nicht darin.

Sie öffneten und schlichen sich hinein, bevor sie ihre Taschenlampen anzündeten. Diese Hütte war bewohnt, daran gab es keinen Zweifel. Im Hintergrund sahen sie einen Jargon, links einen Arbeitstisch mit Schreiblauf, Taschen auf dem Boden, einen rudimentären, klösterlichen, geschlossenen Schrank. Und sie konnten nicht mehr sehen, weil sich ihre Sicht verdunkelte und sie zu Boden fielen.

IX

Am Sonntagmorgen stellte Boris Tynianov fest, dass die Wachsamkeit aufrechterhalten werde. Er wusste nicht, ob er überrascht oder wütend sein sollte. Viele Zufälle wären nötig, wenn diese Belagerung auf etwas anderes zurückzuführen wäre.

Er ging nach unten, um die Zeitung zu kaufen. Die Polizei hatte keinen Mörder, keine einzige Leiche, keine Theorie, keinen Verdächtigen, überhaupt nichts. De Velasco und Lefebvre wussten, wie man schnell ist, wenn es sein muss, aber in diesem Fall absolute Ruhe. Leere Segel und teilnahmslose Kapitäne.

Natürlich müssen sie der Presse nicht alles erzählen, aber es ist lange her, dass über das Verschwinden berichtet wurde. Paris und seine Touristen dürfen dieser Angst nicht länger ausgesetzt sein.

Alles scheint der Verschwörungstheorie zu entsprechen, aber wer wagt es heute, eine Verschwörungstheorie zu verteidigen? Ungeziefer stürzt sich auf dich, bereit, dein Fleisch mit ihren Reißzähnen zu zerreißen, weil sie wissen, dass ihnen alles erlaubt ist. Das Denken ist in diesem Land nicht mehr frei. Aus Vorstellungskraft stecken sie dich ins Gefängnis. Ist noch ein Schritt zu tun, um das Niveau einer Diktatur zu erreichen?

Nichts. Außerdem müssten wir noch ein paar Stufen weiter gehen, denn die schlimmste Diktatur ist diejenige, die es schafft, die Bürger glauben zu machen, dass sie in einer Demokratie leben. Auch wenn es sich um eine Wahl handelt, bei der die Mehrheit die Wahl verweigert, weil sie das Vertrauen in das System verloren hat und es notwendig ist, im Fernsehen die Wahlurnen und die Menschen, die wählen, vor allem die Politiker, die wählen, zu zeigen. Aber die meisten Menschen bleiben zu Hause und nehmen denen, die sie noch nicht hatten, ihre Legitimität.

Er schaltete den Fernseher ein und, wie erwartet, Bilder von den zerstörten Champs-Élysées, in Flammen, geplünderten Bankbüros, geplünderten Luxusgeschäften, Graffiti, die eine allgemeine Revolte, eine Revolution anstachelten. Und vor allem die Gewalt der Gottlosen, die verräterischen Horden des ungebildeten Proletariats, die Sansculotten, die Untauglichen für die Globalisierung, die das Allheilmittel, der Stein der Weisen der Wirtschaft ist, alle eifersüchtig auf die Söhne des Vaters, die Absolventen der besten Universitäten der Welt, die Sieger, die Rennpferde, während sie nur Packesel sind, die sich nicht in ihr Schicksal der schlecht geborenen und ungeborenen Periodisch werfen sie mit den Hinterbeinen Eisenschüsse auf gute Bürger, ehrliche Kaufleute, die nicht mehr von ihrem kleinen Geschäft leben können, diejenigen, die mit ihrer visionären Auffassung von Finanzen Reichtum im Land schaffen.

Die Dinge nähern sich ihrem Krisenpunkt. Die Nähte sind überall zerbrochen, und der Sack wird umkippen, sagte der Kommissar, während er, müde von der Propaganda und den Verzerrungen der Realität, den Fernseher ausschaltete.

Kein Wunder, dass sie die Blutung mit allen Mitteln stoppen wollen, auch mit Kauterisation und Skalpellen.

Nun, welcher Chirurg kann eine solche Operation durchführen? Tynianov sah nur einen: die Freimaurerei. In Frankreich herrschte die Freimaurerei. Aber wer regiert die Freimaurerei? Diese Frage ist schwer zu beantworten. Die geheime Organisation besteht aus Rängen, und die unteren Ränge kennen die der oberen Ränge nicht, oder nur die wesentlichen Glieder und so weiter, bis sie die Spitze der Pyramide erreichen, und dann gibt es die furchterregende *Hinterhand*. Wie können sie es wagen, mit dieser Klasse von Individuen an der Spitze der Macht von Demokratie zu sprechen? Demokratie sollte an der Wahlurne funktionieren, nicht in geheimen Urnen. Und sie verstecken sich kaum noch. Sonntags sind sie einer Sendung über *France Culture zugeteilt*. Sie verstecken sich nicht, oder nicht viel, aber ihre Handlungen und ihre Art vorzugehen, sie achten darauf, sie zu verbergen. Und das machen sie wunderbar.

Don Quijote sagte: "Wir sind mit der Kirche aneinandergeraten. In Frankreich müssten wir eher sagen: "Wir sind mit der Freimaurerei aneinandergeraten. Und er war sich sicher, dass er mit der Freimaurerei kollidierte, einem Staat im Staate. Und eine Mafia auch.

In diesem Augenblick blickte sein riesiges Auge auf ihn, Kommissar Boris Tynianov, der neben ihr nichts als ein Floh ist. Wieder einmal stellte er sich die Frage, was glauben sie, trotz allem, was ich kann? In den Dom gehen und Ergaster identifizieren? Was hätte ich davon? Die Operation verschieben? Vielleicht...

Das würde bedeuten, dass sich Ergaster in der Kathedrale aufhält. Es wäre meine Stärke, auf die Wunde, auf die schwache Stelle des Planes zu drücken.

-Ist es einen Versuch wert?

Zum ersten Mal begann der Kommissar mit dem Gedanken zu spielen, nach Paris zu reisen.

Aber in diesem Augenblick rief ihn der alte Yaichnitsa zum Essen. Bevor er ging, stellte er fest, dass die Wachhunde noch da waren.

Im Laufe des Nachmittags setzte seine Entschlossenheit ein, ebenso wie sein Plan, der Gestalt annahm.

Derzeit befindet sich die Kathedrale im Bau. Im Internet fand er Fotos von den Arbeitern, die dort arbeiteten. Sie trugen alle eine gelbe Weste, wie die der Demonstranten, und einen weißen Helm, zwei Utensilien, die sehr leicht zu beschaffen waren. Sobald er den Gipfel erreicht hat, wendet er die Frank-Methode an, neigt den Kopf und geht direkt auf das Ziel zu. Wenn jemand versuchte, ihn aufzuhalten, zeigte er seinen Ausweis und wir werden sehen, was passiert. Er glaubte nicht, dass er es mit irgendjemandem zu tun haben würde, der damals Teil der Verschwörung war. Wahrscheinlich war es ein Arbeiter oder Vorarbeiter, der, wenn man ihm das Abzeichen zeigte, sogar anbot, die Tür zu öffnen und ihn in das Versteck zu lassen, in dem sich der Drache versteckte. Wenn dies der Fall ist, wird er seine regulierende Waffe auf ihn richten, die ein Pferd in zwei Teile spalten würde, und wenn er auch nur die geringste Bewegung machte, und sei es nur, um sich an der Nase oder an einer Augenbraue zu kratzen, würde er das ganze Magazin in seinen Körper entleeren, so dass diesmal weder Satan, noch sein eigener Vater, ihn retten könnte. Dann registrierte er den Raum. Hoffentlich würde er Beweise finden. Im schlimmsten Fall wäre das ein solcher Skandal, dass ihnen nichts anderes übrig bliebe, als die Operation abzusagen oder zumindest zu verschieben.

Ich habe meinen Post auf den grünen Teppich gelegt, ja. Aber auf der anderen Seite der Skala kann es das Leben vieler Menschen geben.

Er ging in die Küche, wo er Yaichnitsa zu finden hoffte.

"Heute Abend werde ich früh zu Abend essen, weil ich in Paris spazieren gehe. Ich werde sicher noch ein paar Tage darüber nachdenken.

-"In Ordnung, Barine, ich fange gleich an, etwas Schnelles vorzubereiten.

In der Abenddämmerung speisten Herr und Knecht in Ruhe und Harmonie am Küchentisch. Nach dem Dessert und dem Kaffee ging Tynianov in sein Zimmer, um die Aktentasche zu holen, in der er einen Teil seiner Dienstausrüstung verstaut hatte, die Dienstwaffe mit der dazugehörigen Munition, eine kugelsichere Weste, Handschellen, sein abgeschaltetes Regierungshandy, ein Schnellladegerät und Schrott.

Er vergewisserte sich ein letztes Mal, ob die Schildwache auf seinem Posten war.

"Was für eine Enttäuschung wirst du erleiden", flüsterte er dem Kragen seines Hemdes zu. –

Er verabschiedete sich von der alten Jungfer und verließ die Wohnung. Doch statt die Treppe hinunter zu gehen, kletterte er auf das Dach. Wehe der Maus, die nur ein Loch kennt. Er öffnete die Tür mit einem Schlüssel, den er normalerweise in seinem Besitz hat, und ging hinaus. Die Sonne war untergegangen, aber der Himmel war immer noch rot im Westen. Er sprang über ein etwa zwei Meter hohes Geländer und ging zu einer anderen Tür, zu der er den Schlüssel nicht haben sollte, obwohl er ihn schon lange hatte. Wie bereits erwähnt, war es nicht das erste Mal, dass er seine Wohnung illegal verlassen musste.

Vorsichtshalber schaute er durch die Glastür des anderen Tores und ging dann in die Seitenstraße hinaus. Er ging zum Bahnhof, der nur fünf- oder sechshundert Meter von seinem Haus entfernt war.

Im letzten Moment kaufte er an einem Automaten eine Fahrkarte, die er bar bezahlte, und stieg in den entsprechenden Wagen. Der Nachtzug Nizza-Paris setzte sich sofort in Bewegung.

Er hatte die Idee des Flugzeugs aus verschiedenen Gründen verworfen: Er hätte seinen Namen angeben müssen, um das Ticket zu bekommen, und er hätte sich als Kommissar ausweisen müssen, um seine Ausrüstung, insbesondere seine Dienstwaffe, an Bord tragen zu können. Als er in Paris ankam, warteten sie auf dem Rollfeld auf ihn, um ihn vorsichtshalber zu verhaften.

Durch die gewählte Lösung würde der diensthabende Wächter bis zum nächsten Tag, gegen neun oder zehn Uhr, wahrscheinlich zu dem Schluß kommen, daß er mißhandelt worden sei. Und von dort aus müssen sie nicht mehr wissen, wie ich nach Paris gekommen bin, sondern wo ich mich in der Stadt befinde. Bis dahin hoffe ich, mich in der Kathedrale Notre-Dame wiederzufinden und, wenn möglich, mit Ergaster in Handschellen gefesselt oder tot. Obwohl ich die zweite Potentialität der ersten vorziehen würde.

X

Der Übergang vom Schlaf zum Wachzustand war viel langsamer als normal. Alba zerriss nach und nach und mit großer Anstrengung die dichte Dunkelheit, die die Traumwelt von der realen Welt trennte, und irgendetwas in dieser unterbewussten Zone sagte ihm, dass er nicht in diese Richtung vordringen sollte, dass es besser sei, dort zu bleiben, dass vor ihm nur Gefahr lauerte. Aber der Fortschritt war unvermeidlich.

Das erste, was er fühlte, war der Schmerz, den eine feste Ligatur in seinen Händen und Füßen verursachte. Dann Kurzatmigkeit. Ich bin gefesselt und geknebelt, dachte er bei sich. Aber wo... Noch ein Schritt und er merkte, dass er auf dem Boden saß und Kopfschmerzen und Halsschmerzen hatte. Er hatte auch das Gefühl, übermäßig lange geschlafen zu haben. Er muss unter Drogen gesetzt worden sein. Endlich drangen die Bilder der vergangenen Nacht in die dunkle Kammer seines Geistes.

Er beschloss, die Augen leicht zusammenzukneifen. Vor ihm schlief Clara noch. Seine Hände und Füße waren gefesselt, an einen Holzbalken gefesselt, der die Decke stützte, und geknebelt, genau wie er.

Die Augen immer noch gähnend, richtete er seinen Blick nach links. Da war das Ungeheuer, das sich über den Tisch beugte und Zeitung las. Im Raum herrschte ein schwaches, mattes, gräuliches und gespenstisches Licht.

Jemand hatte das Band der Existenz zurückgespult, die Zeitmaschine zurückverfolgt und sie in den schieren Horror einer früheren Szene zurückgebracht, die er überwunden glaubte, obwohl sie sich in regelmäßigen Abständen in Form eines Albtraums wiederholte. Aber jetzt war es wieder real. Sie waren wieder einmal Gefangene dieser dämonischen Kreatur, dieses gefährlichen Verrückten.

Die Ligaturen waren so fest, dass er nicht einmal versuchte zu kämpfen. Was ist zu tun?

Eine schreckliche Intuition ließ ihn zu Boden blicken. In der Tat gab es die weiße Tischdecke mit der unheimlichen Ansammlung von Messern, deren Klinge die Form eines Fisches hatte. Diesmal waren beide Kerzen erloschen.

Außerhalb des Raumes gab es leise Geräusche, die die Leute verrieten, die arbeiteten. Es war merkwürdig, dass die Arbeiter sonntags arbeiteten. Jedenfalls konnten sie nicht schreien. Jede Möglichkeit, ihre Aufmerksamkeit zu erregen, war unmöglich.

Wenn sie keine Lösung fanden, war ihr unheilvolles Schicksal vorgezeichnet. Tagsüber folterte er sie zu Tode. Und nachts brachte er sie, eine nach der anderen, in den Teil der Kanalisation, wo er die Leichen ablegte. Dasselbe hatte er mit Fabrice zu tun.

Da begannen die Glocken der Kathedrale zu läuten. Alba hatte zwölf Glockenspiele. Er stellte sich vor, dass sie am Sonntag bis Mittag geschlafen hatten. Aber er hat sich geirrt. Es war Mittag, das stimmt, aber Montag.

Das Glockenspiel ließ Clara stöhnend aufwachen. Noch im Halbschlaf kämpfte sie bereits mit den Seilen. Plötzlich riss sie die Augen weit auf.

Ergaster sah sie an.

Alba beschloss, auch ihre Augen ganz zu öffnen.

-Ah. Das Paar hatte einen langen Traum... Dies wird der Auftakt zu einem weiteren, noch längeren sein...

Er näherte sich und zündete die beiden Kerzen an, die auf der Tischdecke schlummerten.

-Aber zuerst müssen wir ein Spiel wieder aufnehmen, das wir vor drei Jahren unvollendet gelassen haben... Als ungelegene Leute kamen, um uns zu unterbrechen, gerade als es anfing, interessant zu werden...

Er wandte sich wieder dem Tisch zu und setzte sich auf den Stuhl.

-Das Schicksal machte eine komplette Wendung und kehrte zum Ausgangspunkt zurück.

Als hätte er einen Witz erzählt, lachte er über seinen eigenen Witz.

- Naja, gut. Also wollten die Turteltauben wissen, was sich in der Wolfshöhle befindet...

Neues Gelächter, wenn auch abgeschwächt.

-Aber sie wurden mit Leim gejagt, wie Vögel... Möchten Sie wissen, wie das geht?

Er stand auf und stellte sich neben die Tür.

- Wenn du die Tür weit öffnest, in einem Augenblick, in dem sie auf den Tisch fallen will, ziehst du an diesem fast unsichtbaren, wenn auch starken Faden, der von Pflöcken geführt wird, und der Deckel dieses Kessels öffnet sich.

Ohne die Tür öffnen zu müssen, hob er die Hand über den Sturz, griff nach dem Faden und hob den Deckel eines Behälters auf den Tisch.

-Der Deckel, der auf einem kleinen Scharnier montiert ist, ist mit einer Eisenplatte versehen und vorne, an der Wand, befindet sich ein Magnet, der ihn durch einfaches Anheben des Deckels ein wenig auffängt.

Er zog noch ein wenig an dem Faden, und tatsächlich, es gab ein leichtes Klicken, und der Deckel war an die Wand geklebt.

-Der Vorteil des Magneten besteht darin, dass der Kessel offen bleibt, wenn die Tür dann geschlossen wird, wodurch die Ausbreitung eines sehr starken, geruchlosen Betäubungsmittels fortgesetzt wird. Innerhalb von Sekunden verliert der rücksichtslose Mann, der es gewagt hat, einzudringen, das Bewusstsein. Und die Wirkung hält, wie Sie gesehen haben, an. Sie müssen mit einer Maske eintreten oder warten, bis das Produkt ausreichend in der Luft verdünnt ist, und dafür müssen Sie Stunden verstreichen lassen ... Sobald die Falle aufgestellt ist, um herauszukommen oder einzutreten, öffnen Sie einfach die Tür ein wenig, genug, um seitwärts zu gehen, und der Mechanismus ist bereit, diejenigen zu empfangen, die unter übermäßiger Neugier leiden, wie Sie. Und wie es mehr oder weniger mit diesem verdammten Sakristan geschah, den Gott schon verwirrt.

Er löste den Faden und drückte den Deckel nach unten.

- Nun, wenn ich darf, mache ich ein Nickerchen. Ein ziemlich hektischer Nachmittag erwartet uns...

XI

Tynianov hatte es endlich geschafft, ein paar Stunden in der Koje zu schlafen. Als er aufwachte, dämmerte es, aber der Zug hatte angehalten. Er öffnete die Jalousie in der Erwartung, den Namen der Station zu sehen, in der sie sich befanden. Zu seiner Überraschung war vor ihm nur ein Feld.

Er sah auf seine Uhr. Wir sollten kurz vor der Ankunft in Paris stehen.

Er ging in den Flur und suchte nach einem Controller.

Nachdem er ein paar Waggons überquert hatte, fand er einen.

-Was ist los? fragte er ihn unverblümt. -

-Die gelben Westen. Sie gingen auf die Straße und schnitten den Verkehr ab, sogar die Züge.

Der Kommissar blickte finster drein.

-Wo sind wir?

"In der Nähe von Dijon, Sir.

-Vielen Dank.

Er kehrte in sein Abteil zurück.

Stunden vergingen und der Zug bewegte sich nicht. Er schaute aus dem Fenster und konnte kein einziges Dorf sehen. Er ging auf den Korridor hinaus, um wegzuschauen, und es war dasselbe.

Die Sonne ging bereits auf und die Situation stagnierte. Er erinnerte sich, dass er den Entschluss gefasst hatte, Professor Longa anzurufen. Angesichts der Wendung der Ereignisse hoffte er aufrichtig, dass er von Alaska oder Patagonien aus antworten würde. Es gab jedoch keine Antwort. Er ließ ein paar Minuten verstreichen und versuchte es noch einmal mit dem gleichen Ergebnis. Er wählte Claras Nummer, und es war dieselbe. Sie werden nicht die Farce gemacht haben, sich tief im Amazonas-Regenwald zu internieren, wo es keine Berichterstattung gibt... Ehrlich gesagt, beginnt dies besorgniserregend zu werden. Eine Stunde später wählte er erneut die Nummer der beiden. Das war nicht normal, und das Schlimmste war zu befürchten. Angst und Adrenalin begannen zu steigen. Er konnte nicht länger dort bleiben, er saß dummerweise im Zug fest.

Während er schon daran dachte, auf den Boden zu springen und die Fahrt auf eine andere Weise zu beenden, bekam der Wagen einen leichten Ruck, und der Konvoi setzte endlich den Marsch fort.

Jetzt, dachte er bei sich, würden sie meine Flucht aus der Heimat entdeckt haben, und ich würde wahrscheinlich ein Willkommenskomitee in Paris haben.

Für den Rest der Reise überlegte er, was er tun sollte. Werdet vorerst diejenigen los, die kommen würden, um ihn zu empfangen. Was zweifellos die Fraktion zu Beginn der Plattform wäre. Er hingegen konnte sich in die Kabine setzen und sprang, sobald sich die Türen öffneten, über das Geländer auf der Suche nach einer Seitentür. In der Hoffnung, dass kein Zug kommt oder auf Hindernisse stößt. Nicht alles ist vorhersehbar. Dann sollte er sie verlieren.

Er war der Meinung, dass der Lehrer und die Enkelin von Bardés von nun an Vorrang haben sollten. Er hoffte, dass es noch nicht zu spät war. Wohin würde er zuerst gehen, in die Kathedrale oder in die Wohnung der jungen Frau, deren Adresse er glücklicherweise erhalten hatte?

Wenn er in die Kathedrale ging, war die Wahrscheinlichkeit groß, dass dies das Ende seiner Reise war. Wenn sie am Bahnhof auf ihn warteten, würden sie noch mehr in Notre-Dame auf ihn warten. In der Wohnung der jungen Frau konnte er jedoch einen Hinweis finden. Und als letzten Ausweg würde er sich später in den Wirbelwind der Materie stürzen, um mutig in das Herz des Mahlstroms einzudringen.

Es war später Nachmittag, als der Zug endlich in den Bahnhof Austerlitz einfuhr. Sobald die Bremsen knarrten und sich die Türen öffneten, sprang Tynianov ohne zu zögern auf die Plattform und von dort auf die Schienen. Er fand nur ein Hindernis, einen weiteren Pendlerzug, der stehen blieb. Er sprang über das Stück, das zwei Wagen verband. Er landete auf der letzten Plattform und aus dem Augenwinkel konnte er ein halbes Dutzend Gorillas in Anzügen sehen, deren Krawatten im Wind wie ein Wimpel hinter ihnen herfielen, und die mit aller Geschwindigkeit, die ihre Beine zuließen, auf ihn zuliefen, was beträchtlich war.

Auch Tynianov rannte aus Leibeskräften. Er verließ den Bahnhof und ging auf dem Bürgersteig weiter. Seine Verfolger verkürzten die Distanzen. Er betrat eine U-Bahn-Mündung, von der er wusste, dass sie aus mehreren Eingängen bestand. Er versank in das eine hinein und durch das andere wieder hinaus. Die hinter ihm überlegten nicht lange und sprangen über die Klappschranken, weil sie offensichtlich nicht die Vorsichtsmaßnahme getroffen hatten, Tickets zu kaufen. Wenn der Kerl in die U-Bahn gestiegen war, dann nur, um ihn mitzunehmen, nicht wahr? Die Frage war nun, welchen Zweig er gewählt hatte, und so mussten sie sich trennen.

Tynianov wußte, daß sie es wegen der Schreie der Sicherheitsleute so gemacht hatten.

Als er merkte, dass sie ihn aus den Augen verloren hatten, beruhigte er sich und rief ein Taxi.

Er nannte Claras Wohnung die Adresse. Der Fahrer achtete kaum auf die Schweißperlen, die ihm über das Gesicht liefen. Eine Führungskraft, die die Metro mit der Absicht verlässt, so schnell wie möglich an einen anderen Punkt in der Stadt zu gelangen, ist in Paris etwas Alltägliches. Das soll nicht heißen, dass er sich mehr beeilt hätte, als er hätte tun sollen.

Tynianov seinerseits dachte darüber nach, wie er eintreten könnte. Er hörte auf, an der Tür zu klingeln, denn wenn sie da waren, warum gingen sie dann nicht ans Telefon?

Er schaute noch einmal auf sein Handy und stellte fest, dass sie nicht versucht hatten, ihn zu kontaktieren, weder per Anruf noch per SMS. Er brach mit seinem Generalschlüssel ein. Für den Fall, dass das nicht funktionierte, hatte er vorsichtshalber in seiner Aktentasche spezielle Metallstangen mitgeführt, die, mit einem Feuerzeug erhitzt und in das Schloss gesteckt, einen perfekten Schlüssel ergaben.

XII

Ergaster war sich der Wirksamkeit seiner Ligaturen so sicher, dass er in einen tiefen Schlaf fiel. Er schnarchte sogar.

Der Oger hatte mehr als eine Stunde geschlafen, als es heftig an die Tür klopfte. Das Monster wachte auf. Er stand auf und wartete.

Sein Schnarchen hatte wahrscheinlich die Aufmerksamkeit eines Arbeiters erregt.

Der Anruf wurde wiederholt. Ergaster machte ein paar Schritte, griff nach der Tischdecke und nahm das größte der Messer. Dann rückte er vor, bis er an der Tür stand, mit dem Rücken zur Wand und das gefürchtete Tötungswerkzeug schwingend, bereit, sich auf den Eindringling zu stürzen und ihm die Kehle durchzuschneiden, bevor er begreifen konnte, was mit ihm geschah.

Zum dritten Mal klopfte der Fremde, und diesmal rüttelte er kräftig an der Türklinke, aber er versuchte nichts anderes, um sie zu öffnen. Ergaster wartete nicht weniger als fünf Minuten, bevor er sich endlich entspannte, als er merkte, dass die Person das Eintreten aufgegeben hatte. Er legte das Messer auf den Tisch. Er konsultierte noch einmal die Zeitungen mit detaillierten Anweisungen, was in den nächsten Stunden zu tun sei, und wandte sich lächelnd an seine Gefangenen.

- Eine Zeit lang hattest du dir Illusionen, nicht wahr? Nichts von alledem!

Dann faltete er überraschend die Tischdecke zusammen und ging mit ihrem Inhalt zum Bett. Dann hob er eine Aktentasche in einer Ecke auf und entleerte seine eigentümlichen und sehr persönlichen Folterinstrumente.

"Ihr solltet euch auch nicht viele Illusionen darüber machen", sagte er zu seinen Gefangenen. –

Ja, wenn er ihnen diese Schreckensszene bereitet hatte, deren Bedeutung sie nur zu gut kannten, so geschah es, damit ihre eigene Phantasie sie in gewissem Sinne quälen und quälen würde. Deshalb, sagt er sich, werden sie zweimal sterben. Nicht nur einen, sondern zwei. Zu welchem der beiden grausamer? Es war jedoch an der Zeit, ihnen die Wahrheit zu offenbaren, damit ihre Phantasie zu arbeiten begann und sie in eine andere Richtung mazerierte. Der letzte.

- Mein Meister hat mir vorläufig verboten, diese Spielzeuge zu benutzen. Und er hat Recht, es wäre eine Verschwendung, die Gelegenheit zu verpassen, eine andere Methode anzuwenden, die grausamer oder grausamer und langsamer ist als die vorherige. Womit ich mich übrigens in den letzten Tagen betrunken habe. Nun sagt man, dass in der Vielfalt Geschmack liegt, oder?

Dort stieß er ein kleines Marderlachen aus, das ihn seine grünen Zähne zeigen ließ.

Wisst ihr, wie mein Meister mich nennt? Weil ich Inder bin, kam es ihm in den Sinn, mich Agni zu nennen. Wie dumm er ist, mein Meister! Er hat einige dieser Ideen...

Er sah sie an und täuschte Überraschung vor.

- Wie, wisst ihr nicht, wer Agni ist? »

Seine Augenlider hoben sich und zeigten eine sehr weiße, riesige, verrückte Hornhaut.

- Ah, du kannst nicht sprechen... Nun, ich spreche für Sie. Ihr solltet wissen, dass Agni der indische Gott des Feuers ist. Und mein Meister wünscht, dass ich heute in perfekter Übereinstimmung mit meiner neuen Natur handle.

Während er dies sagte, zog er unter dem Tisch einen Karton hervor, der mehrere Flaschen enthielt.

-Was Sie hier sehen, ist flüssiger Sauerstoff, eine Substanz mit einer sehr hohen Oxidationskraft. In der Tat würde Benzin nicht nur einen starken charakteristischen Geruch haben, sondern auch nicht ausreichen, um diese riesigen Strahlen zu verbrennen, die im Laufe der Jahre fast versteinert sind. Heute sind sie reiner Stein. Aber mit diesem Produkt leuchten sie sofort auf, wie trockenes Heu.

Er schob die Kiste mit dem Fuß, bis er sie an ihrem Ursprungsort abstellte, und blickte seinen Geiseln in die Augen, um das Ausmaß ihrer Panik abzuschätzen.

-Du beginnst zu verstehen, was auf dich zukommt, nicht wahr? Sobald die Arbeiter gehen, werde ich das Produkt an die mir angegebenen Stellen gießen, ich werde Feuer anzünden und dann dorthin gehen, wo ich hergekommen bin. Ihr wisst doch wo, oder? Du bist mir gefolgt, ich weiß. Du hast gesehen, wie ich herauskam. Und dann, als du die Tür geöffnet hast, habe ich mich sehr, sehr nah bei dir versteckt. Aber ich wusste, dass du nicht weitermachen würdest. Du hast es vorgezogen, hierher zu kommen, weil du dir vorgestellt hast, dass du den Kuchen entdecken würdest. Und deine Fersen berührten deinen auf dem Weg nach oben. Für dein größtes Übel, natürlich. Ich hinkte hinterher; falls Sie daran interessiert waren, es zu wissen.

Er legte sich wieder auf sein Bett, die Hände im Nacken. Allerdings diesmal nur, um bequemer zu sprechen.

- Ich würde dich gerne später, in der Hölle, treffen, um das andere, das alte, anzuwenden und dich zu fragen, welches von beiden du bevorzugst. Der Neue muss ja gar nicht so schlecht sein. Stellen Sie sich vor, wie es sein wird. Ich werde hier verschwinden. Du wirst anfangen, den Kleber zu hören, den Kleber, die Flüssigkeit, die aus dem Stiel kommt. Dann wird die Luft zittern, wenn plötzlich der Geist des Feuers erscheint. Dann wird er in das Holz beißen, es mit Zähnehieben durchlöchern, und er wird anfangen zu knistern, zuerst schwach, hier und da, dann wird der Ton donnernd sein, wie der von den unzähligen Reitern der Heere Satans, die seine Rosse peitschen. Gelegentlich hört man sogar Explosionen. Die Hitze wird zunehmen und damit auch der Rauch. Es wird dich dazu bringen, zu husten und mit den Augen zu weinen. Schließlich wirst du die Flammen sehen, die zum Tanzen kommen und dir den ersten Biss in den Nacken geben. Die Haut wird dich verbrennen. Die Temperatur wird unerträglich. Bis die Schlacken alle gleichzeitig auf dich zuspringen, jeder nagt an einem anderen

Organ, während du brennst wie ein Scheiterhaufen. Der Schmerz wird... Nun, es wird unaussprechlich, unbeschreiblich, unbegreiflich sein, wie Gott. Wie der Gott Agni.

XIII

Als Tynianov die Tür sah, änderte er sofort seine Meinung. Er griff nach seinem Portemonnaie, zog eine Bankkarte heraus, steckte sie in den Schlitz neben der Türklinke, zog sie heraus und öffnete sie ohne weitere Formalitäten.

Sobald er einen Schritt ins Innere machte, piepte sein Schlüsselbund und begann mehrere Sekunden lang intensiv zu vibrieren. Mikrofone, dachte er sich. Und nicht nur ein paar. Vielleicht Kameras. Der Kommissar war bereits wachsam.

Und das zu Recht. Wie von einer Feder angetrieben, kam ein Typ mit einem Messgerät wie seine früheren Verfolger aus der Küche und schwang eine automatische Pistole, deren Lauf er ein paar Zentimeter von Tynjanows Schädel entfernt hielt.

Dieser erhob die Hände, um zu zeigen, daß er sich ergebe, und rief:

-Cristipolendas graue Haare!

Das heißt, er kam aus der Schusslinie zu seiner Rechten, während er ebenfalls mit seiner rechten Hand, die sich in einer Position sehr nahe am Ziel befand, die Pistole bewegte, die er sofort mit der Linken ergriff und schließlich mit der anderen Hand einen sehr starken Schlag auf das Handgelenk des Angreifers ausführte. der die Waffe freigegeben hat. Dann, mit der Pistole in seinem Besitz, versetzte er seinem Gegner mit dem Kolben einen Schlag auf den Kopf, der ihn bewusstlos am Boden liegen ließ.

Das Cristipolendas-Grau bedeutete offensichtlich nichts. Aber es beschäftigte den Geist des Individuums.

Er musste *ipso facto gehen*, aber nicht ohne eine oberflächliche Durchsuchung der Wohnung durchgeführt zu haben. Alles war in Ordnung. Kein Detail, das seine Aufmerksamkeit erregte. Die Betten gemacht, die Küche makellos, kein Papier, keine Hinweise. Kurz gesagt, die Schergen, vielleicht auf Befehl von Lefebvre selbst, hätten sowieso aufgeräumt.

Sobald er die Wohnungstür geschlossen hatte, hörte er ein Grollen, wie es von einer Horde Mammuts erzeugt wird, die die Treppe hinaufsteigt. Auch das Licht des Aufzugs begann zu blinken. Ihm blieb nichts anderes übrig, als auf das Dach zu klettern.

Als er die vier mal vier Stufen hinaufstieg, hörte er lautes Klopfen an der Tür. Es folgten einige Sekunden des Schweigens, die er ausnutzte. Dann die Skizze eines Telefongesprächs, gefolgt von dem Skandal der Herde, die den Aufstieg fortsetzt. Wahrscheinlich hatten die Kameraleute ihnen gerade gesagt, dass er die Wohnung erst vor wenigen Sekunden verlassen hatte, dass sie auf der Treppe aneinander hätten vorbeigehen sollen. Und da ein Teil der Truppe auch den Aufzug benutzt hatte, gab es keine Alternative.

Als der Kommissar erwartungsgemäß am letzten Treppenabsatz ankam, stieß er auf eine Metalltür, die den Zugang zum Dach ermöglichte. Diesmal hatte er nur eine Wahl. Schlüssel-Passepartout. Wenn das nicht funktioniert, würde es in wenigen Sekunden den Gorillas zum Opfer fallen.

Der Schlüssel trat ein, drehte sich um und die Tür öffnete sich nicht. Es war nach innen gerichtet. Er trat hinaus in den Ozean aus blendendem Licht und schloss die Tür hinter sich. Als er über die Trennwände sprang, hörte er, wie sie versuchten, am Schloss zu ziehen.

In dem Moment, in dem es ihm gelang, eine weitere Tür zu öffnen; Sie kamen heraus. Sollen sie die Ladegeräte leeren, dachte Tynianov, als er sie schloß. Sie richten mehr Schaden an als ein Pferd, wenn sie Kürbis fressen.

Als er wieder auf die Straße trat, sah er in der Ferne eine Gruppe von Verfolgern um die Ecke biegen. Er rannte der Reihe nach, bis es ihm gelang, eine große Allee zu erreichen. Er sah ein Taxi kommen und moderierte den Spaziergang. Er winkte und das Taxi hielt an. Er nannte eine Adresse, und als der Wagen losfuhr, wurde er Zeuge der Verwüstung der Fährtenleser, die sahen, wie er sich entfernte, weg von ihren Streifenwagen.

Tynianov hatte absichtlich eine Adresse in der Nähe angegeben, da er davon ausging, dass sie das Kennzeichen genommen hätten und zu diesem Zeitpunkt alle Polizisten in der Gegend nach diesem Taxi suchen würden.

Er ging hinunter und begann, auf dem Bürgersteig zu laufen, vermischt mit den Tausenden von Passanten. Überall waren die Sirenen der Streifenwagen zu hören. Es gab eine besondere Animation in der Atmosphäre. Die Luft schien mit Elektrizität aufgeladen zu sein. Es herrschte eine schwere Atmosphäre, als wäre sie mit Benzindämpfen imprägniert, wenn auch geruchlos. Einige Menschen standen vor den Schaufenstern von Restaurants und Cafés. Tynianov ahmte sie nach, um zu verstehen, was vor sich ging. Sie schauten fern. Und dann sah er die Bilder von Notre-Dame in Flammen.

-Mein Gott! Sie haben es geschafft!

Sein Herz hüpfte, und bald darauf folgte ein zweiter Ruck. Was wäre, wenn sie sie gefangen genommen hätten, was an dieser Stelle offensichtlich erscheint, und sie dort festgehalten hätten, um sie spurlos zu töten? Der Arm der Mafia ist sehr lang. Vielleicht haben sie eine Entdeckung gemacht, etwas gesehen... Das Feuer wird alle Beweise dieses zusätzlichen Verbrechens verschlingen.

Er wusste, dass seine Intuition wahr war. Er rannte auf der Suche nach dem nächsten U-Bahn-Sprachrohr.

Er erschien auf der Esplanade der Kathedrale und war gelegentlich voll Neugieriger, die dieses undenkbare Schauspiel betrachteten. Er kam, so gut er konnte, durch die menschliche Flut voran.

Am Eingang des brennenden Gebäudes stieß er auf eine Polizeiabsperrung.

Ich muss sowieso darauf zugreifen, dachte er bei sich. Auf Teufel komm raus. Im Guten wie im Schlechten.

XIV

Der Sonnenuntergang färbte den Nimbus der Stadt mit Ocker. Eine unwirkliche Stille hielt die Flügel der Raben in der Luft ausgebreitet. Die Masken standen aufgereiht auf der großen Terrasse, auf der sie rot gepolsterte Sitze installiert hatten, wie in Kinos. Ohne das geringste Geräusch von sich zu geben, richteten sie sich ein. Die Szene spielte sich in einem der höchsten Gebäude von Paris ab.

Im östlichen Teil war der Himmel zu einer saphirfarbenen Masse geronnen. Die zenitale Kuppel war türkisfarben. Zu dieser Stunde wirkten die Gebäude alle weiß getüncht wie andalusische oder marokkanische Einsiedeleien.

Niemand sprach, niemand flüsterte. Es war nur Kontemplation. Pure Kontemplation ohne Vermischung. Die Augen, die sich dort bei der Show öffneten, hatten Jahrhunderte darauf gewartet, diesen wahr gewordenen Traum zu bewundern. Niemand rührte sich, die Zeit selbst schien geronnen. Nur die Flammen durften dort im Hintergrund auf dem Dach von Notre-Dame de Paris tanzen, sich küssen und trennen, neu gruppieren und zerstreuen.

Das Fleisch, das die Masken hielt, war mineralisiert. Marmortorsi gefüllt mit Roben; Kalksteinstücke ruhten auf den Armlehnen der Sitze. Das Schicksal hatte sich auf dieses feurige Aleph gelegt, in dem sie Jahrhunderte des Autodafés betrachteten, Generationen von Inquisitoren, die in Gebete gehüllte Bannsprüche riefen, die entsetzten Gesichter der Opfer, die Euphorie der Scheiterhaufen, die den blauen Himmel leckten.

Ihr ganzes Wesen hatte sich der Ekstase hingegeben, die ihnen diesen ultimativen Rachefeldzug bescherte.

Hinter ihnen, auf den Bartresen gelehnt, mit einem mehr als ein halbes Jahrhundert alten schottischen Whisky in der Hand, genoss der Bleistift die Szene, die er provoziert hatte.

Die Masken wären zufrieden. Und die Selbstgefälligkeit von Masken schlägt sich immer in Gold nieder, in Millionen von Dollar. Der Ekel liegt in der Ächtung und der feierlichen Vertreibung.

Was sie bewundern, ist mehr als ein Symbol, es ist der Gedanke in perfekter Symbiose mit dem Akt, es ist der menschliche Plan, der sich in einen Edelstein verwandelt, einen Diamanten, den Diamanten, den am besten durch den Willen eines Menschen geschliffen werden.

Symbol, Schönheit und Projekt. Die drei Personen der Heiligen Dreifaltigkeit. Eine Heilige Dreifaltigkeit, die sie anerkennen konnten, solange sie Geld abwarf. Solange sie Strom erzeugte.

Die Flammen umschließen bereits das Kolophon, das Viollet-le-Duc oben drauf gelegt hat, was macht das schon? Es ist ein kleines und unwichtiges Zugeständnis. Der Obol, der bezahlt wird, um in den Himmel zu kommen. Denn in dieser und in der nächsten Welt hat alles seinen Preis.

XV

Tynianov schaute mit den Augen darauf, wer die Polizeiabsperrung kontrollierte. Sie war eine Frau. Er ging auf sie zu, gefolgt von seinem Namensschild.

-Kommissar Boris Tynianov. Ich muss ins Gebäude.

Der Offizier blieb stehen. Wahrscheinlich hatte sie keine Befehle für ihn erhalten. Der Kommissar fügte zuversichtlich hinzu:

-Ich habe den starken Verdacht, dass darin Menschen eingeschlossen sind. Sie brauchen Hilfe, um rauszukommen.

Die Polizistin öffnete ihre Augen wie Teller.

-Die Lage ist kritisch, Herr Kommissar. Experten sagen, dass das Dach jeden Moment einsinken wird.

-Es gibt keine andere Alternative. Entweder wir helfen ihnen, oder wir lassen sie sterben.

Der Offizier dachte einen Augenblick nach.

- Tun Sie, was Ihr Gewissen gebietet, Herr Kommissar.

Tynianov brauchte nicht gefragt zu werden. Mit großen Schritten ging er auf die Tür zu. Dort angekommen, drehte er sich instinktiv um, um zurückzublicken. Zur gleichen Zeit tauchte die Gruppe der Gorillas auf der Esplanade auf.

Ohne Zeit zu verlieren, trat er ein. Das Kirchenschiff war mit Rauch durchtränkt. Jemand hustete ein paar Schritte von ihm entfernt. Er sah eine schwarze Beule. Als er näher kam, erkannte er, dass es sich um eine Soutane handelte. Noch ein paar Schritte und entdeckte, dass es sich um einen jungen Priester keltischen Aussehens handelte.

"Ich brauche das rote Passepartout", sagte er. "Wenn du es hast, gib es mir, und wenn nicht, sag mir, wo ich es bekommen kann.

Der Pfarrer sah ihn an, als hätte er eine Erscheinung gesehen.

-Ich bin Kommissar Boris Tynianov.

Und zeigte ihm auch die Plakette.

-Und warum wollen Sie das rote Passepartout?

– Ich bin mir fast sicher, dass Clara Bardés oben eingesperrt ist, in einem Raum, dessen Tür sich mit dem roten Passepartout öffnet.

Ohne ein Wort zu sagen, steckte der Priester die Hand in die Tasche seiner Soutane und nahm einen roten Gegenstand heraus. Er übergab es dem Kommissar.

-Vielen Dank.

Er wollte gerade gehen, als Reverend John Temple Graves zu ihm sagte:

- Ich gehe mit dir.

-Es ist zu gefährlich.

"Genau deshalb", antwortete der Vater. – Wenn einer der beiden nicht ankommt, kommt der andere.

-Kommen.

Der junge Priester entpuppte sich als wahrer Sportler. Tynianov musste hart arbeiten, um nicht zurückgelassen zu werden.

Als sie das Ende der Treppe erreichten, stellten sie erschrocken fest, dass der gesamte Korridor in Flammen stand. Es war ein wahrer Feuertunnel. Tatsächlich brach in diesem Moment ein Seitenbalken wie ein flammendes Schwert vor ihnen zusammen und schnitt ihnen den Weg ab.

Glücklicherweise ließ sie einen Slot auf der rechten Seite frei, um zu passen. Der Kommissar stürzte sich durch diese Bresche, gefolgt von dem Priester.

In der Mitte des Ganges war die Hitze fast unerträglich, und manchmal zwang der Rauch sie, sich so schräg wie möglich zu bewegen. Es gab sogar eine Strecke, die sie durchkriechen mussten.

-Hier ist das einzige geschlossene Repository, das hier existiert. Dies ist die letzte.

Tynianov steckte den Schlüssel in das Schloß, und die Tür öffnete sich. Im Inneren hätte der Rauch mit einer Schere geschnitten werden können. Die Flammen hatten das Holz des Daches durchbrochen und einen ockerfarbenen Schein erzeugt, aber der Rauch zeigte nichts.

Der Kommissar schlich sich hinein, gefolgt vom Priester. Sie mussten einige Meter vorrücken, bevor sie die Leichen unterscheiden konnten.

Clara war bewusstlos. Professor Longa betrachtete sie mit exorbitanten Augen. Tynianov fühlte die Ligaturen. Das Seil war zu stabil und die Knoten kompliziert und fest. Wie mache ich das?

Der Lehrer winkte ihm zu und versuchte, sein Kinn in Richtung etwas auf dem Rücken des Kommissars zu heben. Er trat ein paar Schritte zurück und sah den Tisch. Er trat näher und sah über ihr Ergasters riesiges, fischförmiges Messer.

Er war so scharfsinnig, dass er die Seile wie Blätterteig zerschnitt.

Der Husten hinderte Alba Longa daran, die Luft einzuatmen, die er so dringend brauchte. Reverend John Temple Graves half ihm aus dem Zimmer, während Tynianov Clara die Fesseln durchschnitt und sie in seinen Armen trug.

Als der Professor sah, daß Tynianov mit Klara in den Korridor hinausging, faßte er den Mut, sich auf den Arm des Priesters zu stützen und zu gehen. Sie wurden vom Lärm flüchtiger Flammen verfolgt und fraßen Holz mit riesigen Haifischzähnen. Von Zeit zu Zeit zerbröselte ein riesiger Balken, der von Funken umhüllt war. Das Brüllen der Hölle war ihnen immer noch auf den Fersen. Es blieb keine Zeit, den Nebelwänden auszuweichen, indem man sich bückte. Sie traten mit angehaltenem Atem ein, in der Hoffnung, dass sie sich ein paar Meter entfernt auflösen würden.

Schließlich erreichten sie den Treppenabsatz. In diesem Augenblick krachte es, als ob hinter ihnen ein Donner ausgebrochen wäre. Sie hatten gerade genug Zeit, sich umzudrehen und zu sehen, wie der ganze Korridor versank und mit ihm das ganze Dach, so dass nur noch der Sternenhimmel an Ort und Stelle blieb.

Als sie den Fuß der Treppe erreichten, hatte die Atmosphäre so sehr gebrannt, dass ihre Haut brannte. Aber sie mussten durch diese letzte Etappe.

Das Kirchenschiff der Kathedrale war ein Schmelztiegel voller Glut und Rauch. Noch ein Schritt und es ging ihnen gut.

Ein Heer von Ärzten, Krankenschwestern und Feuerwehrleuten kam ihnen zu Hilfe. Wenige Minuten später kam Clara mit Hilfe von Sauerstoff wieder zur Besinnung. Alba hielt seine Hand.

-Gab es Verletzungen? - Das ist das erste, was sie gefragt hat. –

Alba antwortete lächelnd:

-Nein. Nur ein Wunder. Aber schließlich war es das Haus Gottes...

EPILOG

Einige Monate später frühstückte der Großbatrachier im Speisesaal des Presbyteriums in Ruhe und Eintracht, als er die erste Zeitung des Tages auffaltete und eintrat. Ein Artikel auf einer der Innenseiten begann ihn sehr zu interessieren. Je weiter er im Lesen Fortschritte machte, desto ängstlicher wurde er.

- Es ist ihnen nicht möglich, so etwas zu tun. So Gott will, soll es ein falscher Alarm sein. Aber es wäre nicht verwunderlich, wenn sie vor nichts zurückschrecken. Alles ist gut, was ihren Zwecken dient.

Er griff zum Telefon. Er suchte eifrig unter seinen Kontakten. Er fand den Gesuchten, und wobei er darauf achtete, nicht mehrere Namen auf einmal mit einem Finger zu überdecken, der wie ein Laib Brot aussah, legte er die Spitze seines Zeigefingers auf den rechten.

- Guten Morgen, Monsignore. Wie kann ich dir helfen?

- Hallo, Herr Professor. Haben Sie die heutige Presse gelesen? Ich spreche nicht von der ersten Seite, sondern von dem, was drin ist, diskreter.

- Ich verstehe, was du meinst.

-Was denkst du?

Wir stehen vor einem geheimen dritten Weltkrieg. Millionen von Menschen werden sterben.

Der Erzpriester erbleichte.

- Gibt es keine Möglichkeit, es zu stoppen?

"Unmöglich, Monsignore. So wie es aussieht, ist das nicht mehr aufzuhalten. Diesmal ist die rote Linie überschritten und es gibt kein Zurück mehr. Der Teufel ist auf freiem Fuß.

-Wie lange dauert es, bis die kritische Situation erreicht ist?

-Vierteljahr.

Der Erzpriester wischte sich mit dem noch leeren Handtuch den Schweiß von der Stirn.

- Vielen Dank, Herr Professor.

In der Stille seiner Privatwohnung lästerte und fluchte er, aber nur mit Murmeln. Die Schleusen seines Zorns standen weit offen. Seine Fäuste schlugen aufeinander. Er hörte nicht auf zu murren, bis er die Gallenblase bis auf den letzten Tropfen entleert hatte.

-Werden sie immer die Führung übernehmen? Wie können sie ausnahmslos damit durchkommen, wenn Gott auf unserer Seite ist? Alles war schon arrangiert. Erst gestern habe ich gezögert, den roten Knopf zu drücken, der die ersten Salven abfeuern würde. Immer noch diskret, aber angekettet. Noch ein Monat, und alles wäre endgültig in Bewegung.

Er atmete tief durch. Er musste einen weiteren Anruf tätigen und wollte nicht, dass seine Untergebenen erfuhren, dass er sich berührt fühlte. Der Chef bleibt immer unverändert, egal was passiert.

Er nahm den Hörer ab und drückte auf einen neuen Kontakt.

-Die Operation wird verschoben. Die Schiffe machten eine Kehrtwende und kehrten in den Hafen zurück. Auch hier wird die Operation verschoben, ohne Rücksicht auf die Kosten. Die Waffen werden weiterhin geladen, aber geschützt sein. Warten auf einen günstigeren Moment.

- Verstanden, Monsignore.

Peters Platz sollte warten.

"Das ist für später", beharrte er wie ein Verrückter, die Fäuste geballt und fest geballt. – Aber es wird auf jeden Fall so sein. Oh ja! Irgendwann wird es passieren!

Also by Alba Longa

Alba Longa
En el nombre del padre
La mansión de enfrente
Las máscaras siempre hablan con acento inglés
Les masques parlent toujours avec un accent anglais
Masks always speak with an English accent
Masken sprechen immer mit englischem Akzent

Milton Keynes UK
Ingram Content Group UK Ltd.
UKHW010628041223
433752UK00001B/122

9 798223 795209